Luke venait de découvrir la vérité…

"Pourquoi ne me l'aviez-vous pas dit? J'ai failli vous assommer! Jamais de ma vie je n'ai frappé une femme!" s'écria-t-il.

"Quand je travaillais chez Señora Lopez," fit Janna, "elle prétendait que j'étais son neveu. Puis vous êtes arrivé, la bagarre a éclaté et j'ai pensé plus logique de conserver mon personnage de garçon."

"Vous auriez dû me dire la vérité. J'ai failli vous faire très mal. Je me rendais compte qu'il y avait quelque chose de bizarre. Je vous prenais pour un garçon un peu…efféminé et j'avais envie de vous protéger. "Puis il ajouta d'un air amusé : "D'un côté, cela me simplifie la vie, mais d'un autre, cela me la complique!"

DANS HARLEQUIN ROMANTIQUE

Mary Wibberley
est l'auteur de

DANS COLLECTION HARLEQUIN

Mary Wibberley
est l'auteur de

Interlude en rose

par

MARY WIBBERLEY

Harlequin Romantique

PARIS • MONTREAL • NEW YORK • TORONTO

Publié en mars 1983

ISBN 0-373-41174-X

Dépôt légal 1er trimestre 1983
Bibliothèque nationale du Québec et Bibliothèque nationale
du Canada.

Imprimé au Canada—Printed in Canada

Janna se demandait pourquoi elle ressentait de la compassion pour le client qui venait d'entrer. Il n'était pourtant guère différent des autres, sinon qu'il n'était pas pris de boisson. Il avait l'air épuisé et affamé et ne devait pas posséder beaucoup d'argent. Sa chemise à carreaux et son jean délavé avaient connu des jours meilleurs ; une barbe de deux ou trois jours n'améliorait pas son apparence. Il s'assit dans un coin, non loin de la porte, et attendit tranquillement en roulant une cigarette. Elle s'approcha de sa table.

— *Señor ?*

Il releva la tête. Ses yeux gris foncé étaient durs, son visage bronzé, son nez aquilin et sa bouche ferme. Il passa sa commande dans un espagnol rapide :

— S'il vous plaît, garçon, je désire du café noir et quelque chose à manger. Que me conseillez-vous ?

Après qu'elle eut coupé ses longs cheveux noirs et qu'elle se fut habillée d'un pantalon et d'un ample blouson de cuir dissimulant ses rondeurs féminines, elle passait facilement pour un garçon. Dans cette partie de la ville, et surtout où elle travaillait, ce déguisement lui était indispensable. Seule Señora Lopez — d'une corpulence impressionnante — connaissait sa véritable identité.

— Prenez le poisson, *señor.*

Elle ajouta à voix basse, dans un espagnol aussi pur que le sien :

— Ce soir, je ne vous recommande pas le plat de viande.

Il grimaça un sourire, comme pour la remercier de cette franchise inattendue.

— D'accord, ce sera le poisson. Et ne lésinez pas sur les légumes.

— *Si, señor.*

Elle lui apporta d'abord le café, noir comme de l'encre. La salle commençait à se remplir. Déjà l'odeur du gros vin rouge imprégnait l'atmosphère, mélangée à celle des cigares à bon marché. C'était vendredi, et Janna irait se réfugier dans sa petite chambre avant l'arrivée des ouvriers de la raffinerie. Señora Lopez et Carlos avaient prouvé qu'ils n'avaient pas peur d'une bagarre, mais elle jugeait plus prudent d'être ailleurs quand les bouteilles commenceraient à voler.

Janna fit glisser le poisson de la poêle dans l'assiette et y ajouta deux énormes portions de fèves et de pommes de terre. L'étranger ne se douterait pas qu'elle avait forcé la dose et Señora Lopez, occupée à servir du vin, non plus. Elle posa l'assiette devant son client.

— Désirez-vous du vin, *señor ?*

Son regard se posa sur son assiette puis sur Janna, et il eut un demi-sourire.

— Non merci. Donnez-vous toujours de telles portions ici ?

Elle jeta des yeux inquiets sur Señora Lopez, mais celle-ci, occupée à calmer un marin presque toujours ivre, n'avait rien entendu.

— Non, mais il m'a semblé que vous mouriez de faim.

Sa voix était naturellement grave et elle avait appris, pendant les semaines précédentes, à la rendre encore plus profonde, ainsi qu'à avoir toujours le visage mâchuré afin que les gens ne la regardent pas deux fois.

6

Pour les curieux, elle était le neveu de Señora Lopez. Quand ils apprenaient cela, ils ne risquaient pas d'autres questions.

— C'est bien le cas, *gracias*.

Et il se précipita sur son repas. Janna hésita. Il avait l'air capable de mener sa propre barque, cependant...

— *Señor*, un conseil si vous permettez.

Etonné, la fourchette dans une main, le couteau dans l'autre, il la dévisagea d'un air interrogateur.

— Quand vous aurez fini de manger... le soir, cet endroit...

Elle hésitait à continuer. Déjà des voix querelleuses s'élevaient au bar. Les habitants plus anciens étaient jaloux de ceux qui travaillaient à la raffinerie et ces derniers ne cachaient pas leur mépris pour la population indigène. Avec quelques marins et quelques dockers déjà ivres avant d'arriver, le mélange était explosif.

— Devient un peu agité? compléta-t-il d'une voix sèche. Merci de votre mise en garde, je vais manger et m'en aller aussitôt. Et vous? Cela vous est-il égal?

— Je ne me mêle pas de leurs disputes, *señor*.

— Vous faites bien, conclut-il en examinant le jeune garçon, si fluet, de la tête aux pieds.

Janna se retourna à temps pour remarquer un signe d'impatience de Señora Lopez. Elle se précipita pour apporter encore du vin à trois habitués passablement éméchés. Elle gagnait peu, mais ne dépensait rien. Avec ce que son père lui avait laissé et l'argent qu'elle mettait de côté, elle espérait, d'ici quelques mois, réussir à quitter la Paragonie, une petite république sud-américaine qui n'était pas de tout repos. Elle comptait prendre le train jusqu'à San Rafael, le principal port du pays, puis s'engager sur un bateau en partance pour l'Angleterre.

Elle n'espérait pas recevoir de pourboire de l'inconnu. Sa générosité avait d'autres motivations : il ressemblait à un chien errant du genre de ceux que son père aurait aidés. C'est la raison pour laquelle, quand celui-ci était mort, elle s'était retrouvée sans le sou. Les chiens errants sont rarement riches.

Elle s'efforça de ne pas écouter ses trois clients qui parlaient librement devant elle, en la prenant pour un garçon. Heureusement, car auraient-ils su qu'il s'agissait d'une fille, ils auraient dans la mesure du possible surveillé leur vocabulaire, mais se seraient aussi comportés absolument différemment. Cette simple idée la faisait trembler. Pendant un quart d'heure, elle fut sans cesse occupée et quand elle put jeter un regard sur son protégé, celui-ci venait de terminer son repas.

— Désirez-vous autre chose, *señor?*

— Non merci, grâce à vous je suis rassasié. Combien vous dois-je?

Elle le lui dit et il leva les sourcils d'étonnement.

— Si peu? Vous ne devez pas faire de gros bénéfices!

Crac! Une table renversée. L'étranger était en train de se lever, cherchant de l'argent dans sa poche.

— Oubliez cela, il vaut mieux que vous partiez.

Soudain, des rugissements : Carlos et Señora Lopez intervenaient à coups de manche à balai. Trois hommes se battaient sur le sol et d'autres s'apprêtaient à venir à la rescousse. A ce moment, un jet de bouteilles partit du bar, ce qui fit pâlir Janna.

— Sortez vite, *señor!*

Un corps, lancé comme un boulet de canon, la heurta par-derrière et la projeta sur le sol. Son compagnon la releva aussitôt, agrippa le coupable par le col et le fond du pantalon et l'envoya rejoindre ses camarades. Janna, encore tremblante de peur, le remercia d'un signe et tenta de le mettre en garde.

— Ne vous en mêlez surtout pas!...

— Que va-t-il vous arriver? Vous êtes trop jeune pour ces jeux-là.

— Ne vous inquiétez pas, je vais me réfugier derrière le bar.

Elle essaya de le pousser vers la sortie, mais il l'écarta en disant :

— Pas question !

Et il se retourna pour faire face aux trois brutes qui s'avançaient vers lui, les poings en avant. Janna, prise au piège dans son coin par une table renversée, mit une main sur sa bouche pour s'empêcher de crier et de l'autre, s'agrippa à une colonne. Señora Lopez criait au fond de la salle qui n'était plus qu'une masse confuse de corps enchevêtrés. Le vacarme était assourdissant.

Quelques instants plus tard, l'étranger l'attrapa par le bras, écarta la table d'un coup de pied, et l'entraîna dans la rue où ils se mirent à courir. Un peu plus loin, ils s'arrêtèrent et il la regarda en riant.

— Vous aviez raison, mon garçon. Quel endroit et quelle bagarre !

— Vous les avez assommés ! Tous les trois !

— Vous avez parlé anglais !

Elle se rendit compte que c'était le cas et qu'il avait répondu dans la même langue. Ils se regardèrent, n'en croyant pas leurs oreilles.

— Alors, vous êtes anglais ? Pourtant vous parlez comme un indigène.

— Vous aussi. Mais comment un jeune garçon anglais peut-il se trouver ici, en Paragonie ?

Un garçon ! A aucun moment elle ne devait oublier qu'elle était un garçon. Cet homme pouvait être anglais, mais c'était un vagabond, ou un hippie, ou quelque chose de pire. Elle ne pouvait avoir confiance en personne.

— C'est une longue histoire. Je vivais avec mon père à une trentaine de kilomètres d'ici. Quand il est mort, il y a peu, je n'avais plus de ressources et Señora Lopez, à laquelle il avait rendu des services, m'a recueillie et m'a

9

donné du travail. Quand j'aurai assez d'économies, j'irai en Angleterre.

Il tira une liasse de billets de banque de sa poche, en détacha quelques-uns et les lui mit dans la main.

— Je n'ai jamais payé mon repas. Gardez le tout et mettez-le de côté, mon garçon. Et évitez d'être entraîné dans des bagarres, vous n'êtes pas encore assez grand.

Il se tourna vers un gamin, assis sur le capot d'une vieille Land Rover et lui tendit la moitié d'un billet.

— Gracias, señor, dit le jeune garçon en prenant le demi-billet et en le rangeant dans sa poche avec l'autre moitié.

Janna eut un petit sourire car l'étranger s'était montré plus astucieux qu'elle n'aurait pensé : il avait utilisé un procédé qui le garantissait de retrouver son véhicule intact, courant dans les bas quartiers des villes sud-américaines. Il semblait aussi avoir davantage d'argent que son apparence aurait pu le laisser supposer, le paquet de billets qu'elle serrait dans sa main en était la preuve.

— Merci beaucoup, dit-elle, tout ce qui me permet d'arrondir mes économies est le bienvenu.

— *Adiós* et bonne chance !

Il hésita un instant puis lui demanda son âge.

— J'ai seize ans.

Elle mentait : elle en avait dix-neuf. Elle s'était mise d'accord avec Señora Lopez car, habillée en garçon, elle avait l'air beaucoup plus jeune. L'homme la dévisageait d'un air intrigué. Il était temps qu'elle rentre : il avait les yeux durs, il était trop curieux et la rue était mal éclairée.

— Adieu et encore merci.

— Attendez !

Sa voix était aussi dure que ses yeux.

— Vous pensez trouver un bateau pour l'Angleterre ici ?

— Non, à San Rafael.

— Mais c'est loin.

— Je sais. Cela va m'aider, répliqua-t-elle en mettant l'argent dans sa poche.

Elle allait s'en aller quand elle remarqua l'état de son bras.

— Mais vous êtes blessé, regardez votre bras !

La manche de sa chemise était rouge de sang. Il la toucha et jura comme il ne l'aurait jamais fait devant une femme. C'était, pour Janna, la preuve que son déguisement était parfait.

— La canaille avait un couteau, j'étais pourtant sûr qu'il ne m'avait pas atteint.

— Cela n'a pas l'air bien beau. Laissez moi examiner la blessure.

Il retroussa sa manche. La plaie, longue et profonde, saignait abondamment.

— Mon Dieu ! murmura-t-elle en serrant les dents.

Elle enleva son tablier et le lui tendit.

— Nouez-le au-dessus de votre coude, il faut absolument arrêter l'hémorragie, en attendant d'aller voir un médecin.

— Merci. Non, pas de médecin. J'ai une trousse de premiers soins dans la Rover.

— Je vais vous aider.

Il hésita, regarda la flaque de sang s'étalant sur le trottoir, monta dans la voiture et lui fit signe de le rejoindre.

Janna étancha le sang, saupoudra la blessure avec une poudre antiseptique et appliqua un bandage bien serré.

— Merci, vous êtes adroit. Vous êtes plutôt fait pour être médecin que garçon de restaurant. Votre patronne fera vite faillite si vous donnez des portions doubles à tout le monde.

— J'ai souvent aidé mon père, qui était médecin.

Elle détourna la tête, les larmes aux yeux. Il ne faut

absolument pas que je pleure comme une petite fille, se disait-elle.

— Il faut vous faire soigner. Vous avez probablement besoin de points de suture. Pourquoi ne voulez-vous pas voir de médecin ?

— Il n'en est pas question, répondit-il sèchement.

Elle n'aurait pas dû insister, mais elle se rendait compte que l'inconnu n'était pas dangereux pour elle.

— Si je comprends bien, on vous recherche. Dans ce cas...

Elle reprit l'argent dans sa poche et le lui tendit :

— Disons que je préfère ne pas attirer l'attention, et gardez l'argent que je vous ai donné, je n'en ai pas besoin.

Des passants à figure patibulaire examinaient la Land Rover. Janna ne sortait jamais dans la rue après le crépuscule. Le bar, au moins, était bien éclairé et elle s'y sentait en sécurité, sauf en cas de bagarre. Elle allait se glisser dans sa petite chambre sans se faire remarquer. Señora Lopez serait certainement occupée à remettre de l'ordre, au cas improbable où quelqu'un aurait alerté la police. Jefe Luis Garrillo, le shérif, s'arrangeait toujours pour intervenir trop tard. Ainsi, il passait des nuits tranquilles, sans avoir à s'occuper de prisonniers ivres et bruyants. Soudain, Janna se rendit compte à quel point elle était dégoûtée de cette ville sordide et de ses habitants. Puis elle eut une idée.

— Je ne pensais pas à la mission. Vous devriez vous y rendre. Ils ne poseront pas de questions indiscrètes et un des pères est — ou plutôt était — médecin.

— Où se trouve-t-elle ?

— A environ cinq kilomètres.

— Pourriez-vous me montrer le chemin ?

— Oui, mais...

— Pourquoi cette hésitation ?

— Ce n'est rien. Mais mon père n'a jamais eu de

contacts avec la mission, je n'ai jamais su pourquoi. Ne dites pas au père Siméon qui je suis.

— C'est vrai, je ne sais même pas votre nom.

— Jan Thorne, improvisa-t-elle. Jan est le diminutif de Jonathan.

— Très bien Jan. Moi, je m'appelle Lucas Tallon, mais on dit toujours Luke. S'ils nous posent des questions, nous dirons que vous êtes mon fils. Etant donné mon âge, ce serait possible.

— Oui papa! Allons-y. Au bout de la rue, tournez à gauche.

— C'est gentil de venir avec moi. Je vous déposerai à votre porte en revenant.

Il démarra puis roula à toute vitesse. Effrayée, Janna s'agrippa au tableau de bord.

— N'ayez pas peur, je conduis toujours comme cela.

Quelques minutes plus tard, ils avaient laissé les lumières de la ville derrière eux et traversaient une espèce de désert entre la civilisation et la jungle, qui ne commençait que plusieurs kilomètres plus loin. Janna était souvent allée chez les Indiens avec son père. Un jour, il avait sauvé d'une mort certaine une jeune femme de la tribu installée sur les rives du Rio Verde. Depuis lors, John Thorne avait toujours été accueilli comme un roi par ces primitifs. Après la mort de son père, elle aurait pu se réfugier auprès d'eux. Quoique restés à l'écart de la civilisation, les Indiens avaient un code moral infiniment supérieur à celui des citadins qu'ils venaient de quitter.

— Est-ce encore loin?

— Environ à deux kilomètres. Au bout de cette rangée d'arbres.

Il faisait si froid qu'elle ne put réprimer un frisson. Sans quitter la route des yeux, il prit derrière lui une jaquette en peau de mouton et la lui tendit.

— Merci beaucoup, dit-elle en l'enfilant.

Elle était deux fois trop grande, mais complétait admirablement son camouflage.

— Vous êtes beaucoup trop maigre, observa-t-il. Et vous êtes beaucoup trop jeune pour pouvoir vous débrouiller seul dans ce pays difficile.

— Pourtant, je me débrouille.

Il lui jeta un bref coup d'œil sceptique.

— Connaissez vous le judo et le karaté ?

— Non, et vous ?

— Oui, si nous avions davantage de temps, je vous ferais une démonstration.

— Attention, nous sommes presque arrivés. Arrêtez-vous derrière cette église.

— N'oubliez pas que vous êtes mon fils, Jan. Et il faudra nous tutoyer.

Il arrêta sa voiture devant un long bâtiment blanchi à la chaux. Un prêtre, vêtu d'une robe de bure ouvrit aussitôt la porte et les salua en espagnol. Luke lui raconta que son fils et lui s'étaient involontairement trouvés mêlés à une bagarre et que quelqu'un leur avait conseillé de venir se faire soigner à la mission.

— Bien sûr. Entrez donc.

— *Habla inglés ?* demanda Luke.

— Oui, répondit le prêtre avec un sourire. Etes-vous anglais ?

— C'est bien le cas.

— Vous êtes doublement bienvenus, dans ces conditions. J'aurai ainsi la chance de parler un peu anglais. Depuis le temps que je suis ici, je l'ai un peu oublié. Asseyez-vous, je vais appeler le père Siméon. Avez-vous dîné ?

— Oui, merci mon père, répondit Luke.

Le prêtre, très grand, était décharné et presque complètement chauve. Il devait avoir une soixantaine d'années. D'une armoire, il sortit une cruche de vin et trois gobelets.

Ils se trouvaient dans une cuisine très simple : un

vieux fourneau, un évier, des rayons pour les casseroles, le vaisselier et les légumes. Luke regarda son bras, qui continuait de saigner abondamment, le pressa machinalement contre lui et avala une grande gorgée de vin rouge.

— Votre blessure est bien vilaine, remarqua le prêtre, je ne voudrais pas être indiscret — ce n'est pas le genre de la mission — mais cela aiderait le père Siméon d'en connaître l'origine.

— Un coup de couteau. Comme vous voyez, je n'ai pas été assez rapide.

— Je vais le chercher tout de suite. Il est probablement à l'église.

— Ne le dérangez pas, cela peut attendre. A votre santé et merci de votre hospitalité.

— A la vôtre, répondit le prêtre en levant aussi son verre. Je suis le frère Marcus.

— Luke Tallon, et voici mon fils, Jonathan ; on l'appelle généralement Jan.

Janna se mordit la lèvre pour ne pas pouffer et but un peu de vin pour se donner une contenance.

— Frère Marcus, auriez-vous un peu de pain ? demanda-t-elle.

Luke eut un petit sursaut d'inquiétude.

— Mon père a mangé, mais je commençais mon repas quand la bagarre a éclaté.

— Certainement, il fallait le dire tout de suite.

Il posa sur la table de bois une jatte de beurre et une miche de pain noir dont il coupa deux tranches.

— C'est du beurre de brebis, mon fils, il est fort, mais bon. Sers-toi.

Et il sortit de la cuisine.

— Excuse-moi, mon fils, dit Luke en imitant frère Marcus, je n'avais pas pensé que tu pouvais avoir faim. A la manière dont tu dévores, on jurerait que tu n'as rien mangé depuis hier.

— Rien depuis le petit déjeuner. Ensuite j'étais trop

15

occupée à laver le plancher pour que les marins puissent le salir ce soir !

— Quelle vie ! Je me mêle de ce qui ne me regarde pas, mais es-tu vraiment obligé de retourner là-bas ?

— Je n'ai pas le choix. Je n'ai pas encore assez d'argent.

— Pourquoi ne viendrais-tu pas avec moi. Quand j'en aurai terminé avec ce qui m'amène ici, j'irai jusqu'à San Rafael.

La proposition était alléchante, mais Janna avait décelé une certaine réticence dans le ton de Luke. Pouvait-elle accepter ? Fallait-il lui avouer qu'elle était une femme ? Serait-ce prudent ? Quand la bagarre s'était déclenchée, il aurait pu sortir, étant près de la porte, mais il était resté pour la défendre et avait été blessé. Depuis qu'ils étaient arrivés à la mission, elle l'avait observé attentivement. Contrairement à ce qu'elle avait pensé tout d'abord, il n'avait rien de commun avec ses clients habituels. Il avait fait preuve de déférence envers le prêtre et s'était exprimé comme un homme bien élevé. D'autre part, il la traitait comme le jeune garçon qu'elle prétendait être. S'il lui permettait de garder sa jaquette en peau de mouton, elle était sûre de pouvoir continuer à jouer son rôle.

— J'accepterais avec reconnaissance, mais la présence d'un jeune garçon va vous encombrer.

— Crois-le ou pas, dit-il en riant, mais je me sens responsable de toi. Si je partais en te laissant dans ce trou infect, j'aurais longtemps mauvaise conscience.

— Eh bien !... c'est d'accord ! Seulement j'ai chez Señora Lopez quelques vêtements et une boîte contenant certains objets auxquels je tiens, des souvenirs, que je préférerais ne pas abandonner.

— C'est facile. En partant d'ici nous repasserons chez la bonne *señora*. Tu lui expliqueras que tu as la chance de pouvoir profiter d'une voiture, mais ne lui parle pas de moi.

— Cela lui sera égal de me voir partir. En vérité, elle n'a pas vraiment besoin de moi ; c'est plutôt par charité, en souvenir de mon père, qu'elle m'a recueillie.

Il leva son bras valide pour lui faire signe de se taire, car il avait entendu des pas dans le couloir. Le frère Marcus entra, suivi d'un petit homme tout rond, vêtu d'une longue robe noire. Luke se leva, imité par Jan, et tendit la main.

— Père Siméon, je vous remercie d'avoir pris la peine de vous déranger.

— Asseyez-vous, mon fils, dit-il en regardant le bras de Luke. Quand les hommes apprendront-ils que rien de bon ne s'obtient par la violence ?

Luke fit une grimace, mais ne chercha pas à s'excuser comme il eût pu le faire facilement en lui disant qu'il avait été blessé en se portant au secours d'un inconnu.

— Vous avez raison, mon père, je tâcherai de m'en souvenir.

Le père Siméon posa sur lui un regard perspicace, murmura quelque chose d'inintelligible et examina la blessure.

— Il faudra vous faire des points de suture.

— Je m'en doutais. Pourriez-vous vous en charger ?

— Oui, mais je n'ai pas d'anesthésique, mon fils. Je conseillerais un verre de whisky ou de cognac, malheureusement, nous n'avons que du vin.

Luke se tourna vers Janna.

— Jan, dans la Land Rover, derrière les sièges, dans une caissette, tu trouveras deux bouteilles de cognac.

Et il lui lança ses clés. Quand elle les lui apporta, il en tendit une au père Siméon.

— J'espère que vous ne vous sentirez pas offensé par ce petit présent, mon père.

Janna ouvrit l'autre bouteille et en remplit un gobelet qu'elle tendit à Luke. Il le but d'un trait.

— Je suis à votre disposition.

Le père Siméon fit un signe au frère Marcus qui se plaça derrière Luke puis il s'adressa à Janna :

— Jeune homme, tiens fermement la main de ton père.

— Oui mon père, répondit-elle en hésitant, car elle craignait que ses mains trop fines ne trahissent son sexe.

Elle pria silencieusement qu'il n'en fût rien et obéit, en prenant appui sur la table. Le père Siméon désinfecta la plaie et appliqua les points de suture avec les gestes d'un vrai professionnel. Luke ne réagit pas, mais la pâleur de son visage et les gouttes de transpiration perlant sur son front révélait la souffrance qu'il endurait. Le frère Marcus le tenait fermement par les épaules et elle sentit ses muscles se contracter sous la douleur. Quand il eut terminé, le père Siméon refit soigneusement un pansement et Janna sentit enfin les mucles de Luke se détendre. Celui-ci s'appuya à la table en poussant un immense soupir. Elle remplit de nouveau le gobelet et le lui tendit.

Il l'avala et réussit à sourire.

— Merci à vous trois ; après le cognac, ça va mieux !

— Il faut que vous restiez ici cette nuit, déclara le père Siméon, et demain je déciderai si vous êtes en état de partir. Nous avons une chambre pour nos invités ; elle n'est pas luxueuse, mais vous y serez au chaud.

— Voilà qui est parfait, je vous remercie, mon père, dit Luke.

Il se tourna vers Janna.

— Nous ferons notre course demain.

Il faisait allusion à ses effets, mais Janna se préoccupait d'autre chose. Ils allaient partager une chambre et cette perspective la terrorisait. Comment allait-elle s'en tirer ?

— Frère Marcus va vous conduire. Pendant ce temps, avec votre permission, je vais céder à la tentation et goûter à votre excellent médicament.

18

Luke prit la bouteille entamée et la lui tendit.

— Avec mes compliments, mon père.

— Dieu vous bénisse, mon fils. Dormez bien tous les deux. A demain matin.

Il se versa une petite goutte de cognac et leur adressa un sourire chaleureux. Frère Marcus les escorta jusqu'à une petite chambre meublée de deux lits de camp et d'une chaise. Il y avait une petite fenêtre, haut placée, un crucifix et une bougie.

— La porte voisine est celle d'un cabinet de toilette. Ce n'est pas le Hilton, mais il faudra vous en contenter. Je vous souhaite une bonne nuit, mes enfants.

Il sortit en tirant la porte derrière lui, laissant Janna et Luke en tête à tête. « Mon Dieu ! » se disait-elle. « Il y a trois heures, il n'était qu'un client qui semblait égaré et maintenant, il va falloir que je passe la nuit avec lui. Il pense que je suis un garçon, mais cela ne durera pas longtemps. » Elle prit sa respiration, décidée à lui révéler la vérité — le plus tôt serait le mieux.

— Luke, annonça-t-elle, j'ai quelque chose à vous dire.

2

— Je sais, répondit Luke en grimaçant de douleur, je n'oublie pas tes affaires, mais nous ne pouvons pas y aller ce soir. Que penseraient-ils ? N'oublie pas que pour eux, tu es mon fils. Et à vrai dire, je ne suis pas en état de conduire, mon bras me fait un peu mal.

C'était un euphémisme, car il était pâle comme un linge. Janna, assise sur l'un des lits se leva.

— Je vais préparer votre couche, annonça-t-elle. Et si vous le permettez, j'aimerais conserver votre jaquette cette nuit ; j'ai un peu froid.

— Certainement, fiston. Pendant ce temps, je vais aller me rafraîchir. A tout de suite.

Et il sortit. Janna déploya les couvertures et disposa les oreillers sur chacun des lits de camp. La chambre était spartiate, une vraie cellule de moine, mais tout était d'une propreté irréprochable. Que pouvait-elle faire, sinon accepter la situation ? Elle décida de ne rien lui dire quand il reviendrait. Si cette nuit se passait sans qu'il s'aperçût qu'elle était une femme, alors peut-être...

— Cela m'a fait du bien, dit Luke en rentrant. Je ne m'étais pas rendu compte que j'étais en sueur.

Il lança ses chaussures sous son lit, souleva les couvertures et se glissa dessous sur le côté, en prenant soin de ne pas heurter son bras.

— Bonne nuit, fiston. Si je ronfle, ne me lance rien à la tête. Il suffira de siffler pour que je cesse immédiatement.

— Bonne nuit. J'espère que votre bras ira mieux demain.

— J'en suis sûr.

Janna passa à son tour dans le cabinet de toilette.

Quand elle en revint, Luke dormait déjà. Elle se mit au lit sans éteindre la bougie et se détendit graduellement. Elle avait craint qu'il se déshabillât devant elle, mais il n'en avait heureusement rien fait. Quelques minutes plus tard, la bougie s'éteignit d'elle-même. Janna sombra dans un sommeil sans rêve ni cauchemar.

— Réveille-toi, criait Luke en la secouant.

Elle ouvrit des yeux effrayés.

— Pas de quoi avoir peur, ce n'est que moi. Il est vrai que je dois avoir une tête de brigand. Je serai plus présentable quand je serai rasé. Je vais chercher ma trousse de toilette dans la voiture. Il est déjà huit heures, dépêche-toi.

Il sortit et elle se précipita dans le cabinet de toilette. Elle aurait bien voulu prendre une douche ou un bain, mais il n'y avait qu'un minuscule lavabo. Elle se débarbouilla tant bien que mal, replia les couvertures et attendit le retour de Luke. Quand elle entendit la porte voisine se refermer, elle quitta la pièce et se rendit à la cuisine où elle trouva le frère Marcus.

— Bonjour, dit-elle d'une voix joyeuse.

— Bonjour, Jan, j'espère que tu as bien dormi. Nous vivons très simplement ici. Est-ce que du pain et du poisson seront suffisants ?

— Cela sera parfait. Puis-je vous aider ?

— Non, mon fils, tout est prêt. Assieds-toi.

Elle obéit et il plaça devant elle une tasse de café bouillant.

— Buvez pendant que je vais chercher le beurre.

Nous ne sommes pas assez riches pour nous offrir un frigidaire, mais le cellier est suffisamment frais.

Il sortit en chantonnant un cantique et elle dégusta son café. Soudain, un étranger fit irruption dans la cuisine. Elle faillit laisser tomber sa tasse de surprise quand elle reconnut la chemise et le jean de Luke. Il n'avait plus rien à voir avec le vagabond dont elle avait eu pitié la veille. Devant elle se tenait un inconnu séduisant, viril : mâchoire volontaire, nez droit, yeux gris foncé au regard profond, grande bouche sensuelle, rasé de près, cheveux noirs trop longs, mais propres et soigneusement peignés.

Luke rit de sa surprise. Il ne pouvait savoir que le cœur de Jan battait plus vite et pourquoi. Jamais il ne devrait l'apprendre, se dit-elle.

— Oui, c'est bien moi.

— Asseyez-vous. Vous êtes tellement mieux ainsi !

— Tu n'en as pas encore besoin, n'est-ce pas ? interrogea-t-il en la dévisageant de près.

Janna, sûre qu'elle était en train de rougir, détourna les yeux.

— Besoin de quoi ? demanda-t-elle en évitant de le regarder et en priant pour que le frère Marcus revienne vite.

— De te raser, fiston. Cela ne tardera pas.

« Non, papa, cela n'arrivera jamais ! »

— Dieu soit loué ! s'exclama le prêtre en rentrant, vous n'êtes plus le même, monsieur Tallon.

— Plus présentable, j'espère ?

— Un vrai gentleman ! Comment va votre bras ?

— Beaucoup mieux, merci.

Il fit un grand geste, mais ne put retenir une grimace.

Le frère Marcus sortit un plat du four et servit deux poissons qui avaient l'air succulents.

— Jan, découpe le pain et fais des tartines. Pour ton père aussi, s'il te plaît, je crois que son bras lui fait encore mal.

22

Janna fit un signe de la tête et obéit. Elle se sentait malheureuse de tromper les deux prêtres qui les avaient si bien accueillis, mais que pouvait-elle faire d'autre ?

— Le père Siméon s'occupe de nos malades avec le frère Michel. Il en aura encore pour au moins une heure. Je n'ai pas beaucoup de distractions à vous proposer, sinon quelques vieilles revues.

— Merci, frère Marcus. Mais nous devons retourner à Santa Cruz pour acheter quelques provisions. Nous partirons dès que nous aurons terminé notre petit déjeuner et serons de retour dans environ une heure.

— C'est parfait. Bon appétit, mes enfants.

Et il quitta la cuisine, les laissant seuls.

— Luke, arrivez-vous à vous débrouiller ?

— Oui, merci.

Il mangeait d'une main, le bras gauche posé sur la table.

— Vous n'arriverez jamais à conduire.

— Pas de problème, tu verras, dit-il d'une voix froide. Ne t'en fais pas, nous récupérerons tes affaires.

— Je ne pensais pas à cela. Je me demandais comment vous alliez faire jusqu'à ce que votre bras soit guéri.

— Tu m'aideras si c'est nécessaire, répondit-il sèchement. Sais-tu conduire ?

— Mon père avait une vieille Austin, mais je ne suis pas certain de m'en sortir avec un véhicule aussi lourd qu'une Land Rover.

— Tu t'en sortiras s'il le faut. Je vais t'endurcir, mon garçon. Quand tu en auras fini avec moi, tu seras mieux armé pour affronter l'existence.

— Vous avez peut-être l'intention de m'enseigner le judo, dans votre état ? questionna-t-elle en riant.

— Attention, mon fils. Efface ce sourire ironique. Même ainsi, je ne ferais qu'une bouchée de toi.

— Pardonnez-moi, je ne voulais pas vous manquer

de respect, *papa!* répondit-elle en faisant une grimace moqueuse.

— Une paternité instantanée! Je pourrais m'y habituer facilement.

— Quel âge avez-vous?

— Trente-cinq ans. Comme tu le vois, je pourrais vraiment être ton père.

« Si j'avais seize ans, en effet », songeait-elle, « mais j'en ai presque vingt et vous n'en saurez jamais rien ». Janna se sentait mal à l'aise. Il émanait maintenant de Luke une aura de virilité presque tangible, qui rendait son rôle d'autant plus difficile à jouer. Elle plongea le nez dans son assiette pour dissimuler son embarras.

— Le poisson est délicieux.

— Oui, dis-moi, pourquoi es-tu aussi nerveux?

« Mon Dieu », pria-t-elle silencieusement, « faites que je ne me trahisse pas. Comment réagirait un garçon de seize ans » ?

Elle prit une profonde inspiration et le regarda en face.

— Nerveux? Je ne comprends pas ce que vous voulez dire, je ne suis aucunement nerveux.

— Pourtant, tu me donnes cette impression.

— C'est sans doute votre imagination qui vous joue des tours.

Elle avait mis dans son ton une nuance d'agressivité, tout en se mesurant cependant, car Luke n'avait pas l'air commode.

— Probablement. Tu as vite réagi.

— Merci papa! rétorqua-t-elle en riant.

— Je vois que tu ne sais pas tenir ta langue, mais je t'apprendrai rapidement à le faire. Tu ne serais pas resté beaucoup plus longtemps dans ce bar… Il faut que je te fasse une confidence : hier, quand tu es venu prendre ma commande, pendant un instant, j'ai cru que tu étais une fille. L'éclairage a dû me jouer un tour.

Par un miracle de volonté, elle réussit à garder une

expression indifférente, mais il fallait absolument réagir.

— Vous m'insultez ! dit-elle vivement. Si vous n'étiez pas blessé, je vous démontrerais sur l'heure que ce n'est pas le cas !

Il leva le bras comme pour se protéger et réussit à ne pas rire.

Elle se leva et alla déposer son assiette dans l'évier.

— Désirez-vous encore du café ?

— Volontiers.

Elle le servit d'un geste décidé. Il sortit un paquet de cigarettes de sa poche.

— En veux-tu une ?

— Non merci, je ne fume pas.

Il en sortit une et l'alluma.

— Hier, vous rouliez vos cigarettes.

— Oui, cela allait mieux avec mon personnage. Pour compléter le déguisement.

— On vous recherche, n'est-ce pas ?

— Non, mais je n'aime pas attirer l'attention.

— Ha ! Vous n'avez pas trop mal réussi. Assommer trois hommes d'un coup !

— C'est pourquoi tu iras seul chez Señora Lopez. J'attendrai un peu plus loin. Tu n'as qu'à lui dire que tu as trouvé un moyen d'aller à San Rafael et repartir aussitôt.

— C'est ce que je ferai.

— Bon. Alors lave nos tasses et nos assiettes, ordonna-t-il en se levant.

A peine avait-elle fini la vaisselle que le frère Marcus revint en courant.

— Dieu soit loué ! Vous n'êtes pas encore partis. Pourriez-vous m'emmener en ville ? J'ai quelques courses à faire et notre seul moyen de transport est une mule.

— Nous pourrions vous rapporter ce dont vous avez besoin, proposa Luke en jetant un regard sur Janna.

— Non, je ne voudrais pas vous déranger ; et un petit tour en ville me fera du bien, répliqua-t-il avec un sourire désarmant.

— Très bien. Partons. Jan, monte derrière.

Frère Marcus parlait sans arrêt, de la vie de la mission, des malades qui y venaient de très loin pour s'y faire soigner. Ils en dépassèrent quelques-uns qui en sortaient, quelques vieillards, des femmes avec des enfants. Soudain, Luke s'arrêta près d'une jeune femme portant difficilement un bébé et traînant par la main un petit garçon pieds nus qui savait à peine marcher.

— Avez-vous l'intention de les prendre avec nous ? demanda le frère Marcus.

— Oui, s'ils le veulent. Elle n'est guère elle-même qu'une enfant.

— Ils sont probablement couverts de poux.

Luke eut un sourire narquois.

— Nous en serons quitte pour une bonne douche.

Le frère Marcus ouvrit la porte, s'adressa à la jeune femme et vint s'installer à côté de Janna. La femme monta avec ses enfants et remercia Luke en espagnol accéléré. Ils la déposèrent à la porte d'un bidonville, à l'entrée de la ville. Luke se pencha pour lui rendre le garçonnet et Janna eut l'impression qu'il lui donnait aussi autre chose.

— *Gracias, señor !* dit-elle d'une voix émue.

La Land Rover repartit.

— Vous êtes aussi un homme généreux, mon frère, fit remarquer le frère Marcus.

— Vous êtes trop observateur, mon frère.

— Peut-être bien, répliqua-t-il en souriant. S'il vous plaît, déposez-moi devant ce magasin et dites-moi où je pourrai vous retrouver.

Ils ne se trouvaient pas loin du bar de Señora Lopez. Luke se tourna vers Janna.

— Nous devons aussi acheter des provisions. Achète

quelques boîtes de conserve ainsi que des légumes et des fruits frais.

— Très bien, dit-elle en prenant l'argent qu'il lui tendait.

Elle ne pouvait pas participer aux dépenses, mais comptait lui demander son adresse en Angleterre quand ils se sépareraient, afin de pouvoir le dédommager plus tard.

— Je vous attendrai au coin de cette rue.

Janna suivit le prêtre dans un bazar qui sentait la viande, le poisson et le fromage de brebis. Il firent le tour des rayons pour choisir ce dont ils avaient besoin.

— Dis-moi, demanda gentiment le frère Marcus, pourquoi prétends-tu que tu es un garçon ?

Janna pâlit et faillit laisser tomber les trois boîtes de corned-beef qu'elle portait.

— Alors, vous savez ? murmura-t-elle d'une voix désespérée.

Il eut un large sourire amical.

— Bien sûr, il y a trop longtemps que je suis dans ce monde, mon enfant. Luke est-il au courant ?

— Non, nous ne nous sommes rencontrés qu'hier. Vous aviez aussi compris que nous ne sommes pas parents ?

— Oui, mon enfant, cela ne pouvait pas m'échapper non plus.

— Je suis soulagée que vous connaissiez la vérité. Cette tromperie me pesait, vous avez été si bon pour nous. Je vous supplie de ne rien lui dire.

— Tu as ma parole.

Et elle lui raconta l'histoire de sa vie.

— Ma pauvre enfant, il fallait venir à la mission. Nous ne t'aurions pas renvoyée.

— Je n'aurais pas pu rester avec vous. J'ai dix-neuf ans. Et puis je veux aller en Angleterre pour retrouver les traces de ma famille.

— Es-tu sûre que tu en as encore ?

— Non, mais mon père était médecin, et je pense que mes recherches aboutiront.

— Ma chère enfant, t'es-tu jamais demandé pourquoi il s'était expatrié? Il avait peut-être changé son nom.

Elle le regarda, inquiète d'avoir entendu exprimer une idée qui l'avait déjà effleurée.

— Tu dis que ta mère est morte à ta naissance?

— Oui, mon père m'a élevée avec l'aide d'une Indienne qui est morte, elle aussi, il y a deux ans.

— Je vois. J'espère que tu réussiras, mais je veux que tu me promettes une chose. J'ai d'excellents amis près de Londres. Nous sommes restés en contact depuis des années. Je te donnerai leur adresse quand nous serons de retour à la mission. Ainsi je serai rassuré de savoir que quelqu'un pourra t'aider en Angleterre en cas de besoin.

— Je vous le promets.

— Je suppose que tu as une bonne raison de ne pas vouloir dire la vérité à Luke, mais il est très difficile de vivre un mensonge comme celui-là.

— Je m'en suis déjà aperçue, mais c'est préférable, comprenez-vous?

— Tous les hommes ne sont pas des brutes lubriques, mon enfant.

— Je suis persuadée qu'il n'est pas comme cela, mais s'il apprenait la vérité, il ne voudrait peut-être plus m'emmener avec lui. Il faut absolument que j'arrive à San Rafael. C'est une chance que je ne dois pas laisser passer.

— Je t'ai juré de ne rien dire. Finissons nos achats, le propriétaire à l'air de s'inquiéter.

Janna transporta le carton contenant ses achats jusqu'à la Land Rover, laissant frère Marcus en grande conversation avec une villageoise, puis elle se précipita chez Señora Lopez pour récupérer ses maigres biens. Comme elle s'en était doutée, celle-ci n'essaya pas de la retenir. Elle l'avait vue avec le frère Marcus et pensait qu'il était la cause de son départ. Elle ne la détrompa pas, jeta dans une vieille valise ses quelques vêtements et sa boîte à souvenirs, remercia Señora Lopez et partit. Une page de son histoire était tournée et elle se demandait, non sans inquiétude, ce que contiendrait la suivante.

Il était midi, et Janna était en train de préparer le repas. Elle avait insisté pour le faire et se savait bonne cuisinière. Les quatre hommes de la mission s'étaient installés dehors, à l'ombre d'un arbre, et leurs rires parvenaient jusqu'à elle, des rires d'hommes en paix avec eux-mêmes et le monde. A leur retour de la ville, elle s'était enfermée dans le cabinet de toilette, s'était lavée de la tête aux pieds et avait aussi lavé ses vêtements. Elle avait pris la précaution de dissimuler ses dessous sous une chemise. Il faisait tellement chaud que tout sécha après quelques minutes au soleil. Elle était maintenant habillée d'un pantalon et d'une chemise bleue. Elle n'avait pu garder, comme elle l'aurait voulu, la jaquette de peau de mouton : la température ne le justifiait pas et cela aurait paru bizarre.

Oignons, tomates et champignons cuisaient tranquillement, le riz serait bientôt prêt et elle ajouta du piment et des herbes aromatiques à la viande cuisant dans une autre casserole. Encore cinq minutes...

— Jan? Avez-vous un instant à me consacrer? demanda le frère Marcus en refermant la porte.

Il lui tendit une feuille de papier.

— Voici l'adresse de mes amis. Conservez-la soigneusement et tâchez de la mémoriser, au cas où vous l'égareriez.

— Je vous suis très reconnaissante. Je vous promets de ne pas l'oublier.

— Viens ici, mon enfant. Porte cela avec ma bénédiction.

Il lui passa autour du cou un petit crucifix de bois suspendu à une lanière de cuir.

— Merci beaucoup, dit-elle, les yeux pleins de larmes.

Elle glissa le crucifix sous sa chemise et le palpa à travers l'épaisse étoffe de coton.

— Vous allez bientôt partir. Le bras de Luke va mieux, mais il faudra refaire son pansement chaque jour, pendant les prochains jours. Chaque jour aussi, je prierai pour toi.

— Vous êtes tellement gentil, frère Marcus, je ne sais comment vous remercier.

— Ne me remercie pas. Je sens que Luke est un homme bon, mais il paraît préoccupé. Quelque chose le tracasse, mais cela ne me regarde pas. Je prierai aussi pour lui. Le repas semble prêt, dois-je appeler les autres ?

— Oui, s'il vous plaît.

Elle dressa le couvert pendant que le frère Marcus allait chercher ses compagnons. Peu de choses devaient lui échapper, songea-t-elle. Lui aussi avait remarqué que Luke dissimulait un secret. Qu'était-ce ? L'apprendrait-elle jamais ?

3

Deux heures plus tard, Luke et Janna quittèrent la mission. Très vite, le seul signe de civilisation ne fut plus que la route tortueuse grimpant dans la montagne. Luke conduisait lentement ; son bras devait le faire beaucoup souffrir, mais il ne disait rien. Janna restait également silencieuse, ne voulant pas troubler les pensées dans lesquelles son compagnon était plongé.

Le paysage était spectaculaire. A gauche, une jungle impénétrable, à droite, au bord même de la route, étroite et parsemée de nids de poule, une paroi rocheuse plongeant à pic dans la vallée. Avec l'altitude, l'air devenait plus frais et Janna remit la jaquette en peau de mouton que Luke l'avait autorisée à conserver, ce qui lui donna aussitôt un sentiment de sécurité. Toute la partie arrière de la Land Rover était remplie de boîtes et de cartons. Certains contenaient de la nourriture ; Janna ignorait le contenu des autres, soigneusement fermés.

Avant de quitter Santa Cruz, Luke avait fait le plein de carburant. Elle s'était étonnée de la capacité du réservoir et il avait expliqué que son véhicule était équipé de deux réservoirs supplémentaires, indispensables pour traverser les montagnes de cette région de Paragonie. Il est vrai qu'ils roulaient depuis des heures et n'avaient vu ni village ni voiture. En abordant une section de la route moins sinueuse, il se tourna vers elle.

— Ne veux-tu pas savoir où nous allons ?

— Non, vous êtes le capitaine.

— Exact, mais la curiosité est un sentiment naturel.

— Je suis en effet curieux, mais je pensais que vous ne teniez pas à m'informer de notre destination.

— Il faut me faire confiance, Jan.

— J'ai confiance en vous, Luke.

« Mais pas au point de vous dire qui je suis », pensait-elle.

— Et moi, puis-je avoir confiance en toi ?

— Vous m'avez sauvée d'un grave danger, vous m'avez offert une chance de quitter Santa Cruz, oh ! oui, vous pouvez me faire confiance.

Le jour baissait et il faisait de plus en plus froid. Janna se demandait avec appréhension où ils allaient passer la nuit.

— Quand nous nous arrêterons, je te mettrai au courant. Cela ne va d'ailleurs pas tarder. La route est trop dangereuse pour que j'ose me risquer à rouler de nuit.

— Sommes-nous près d'une ville ?

— Pas d'après ma carte. Nous dormirons derrière.

— Vous avez toujours voyagé de cette façon-là jusqu'à maintenant ?

— Souvent, quand j'étais loin de tout lieu habité, comme c'est le cas ici. A dire vrai, la chambre de la mission fut pour moi un véritable hôtel de luxe ! Je vais allumer les phares, tâche de repérer un endroit où nous pourrions nous arrêter pour la nuit.

Ils trouvèrent une petite clairière, non loin de la route. Luke coupa le contact et alluma une cigarette. Le silence était total et Janna réprima un tremblement de peur. L'obscurité était profonde ; la cigarette de Luke éclairait vaguement son visage chaque fois qu'il en tirait une bouffée.

— Depuis des semaines, je suis sur la piste d'un homme, et je pense que je n'en suis maintenant guère éloigné.

— Qui est-ce, Luke?

— Son nom ne te dirait rien, si je te le donnais, mais je n'en ai pas l'intention. Je préfère que tu en saches le moins possible. D'ailleurs, Tallon n'est pas mon vrai nom.

Janna frissonna d'épouvante. Ainsi, c'était un criminel, peut-être un assassin, et elle se trouvait seule avec lui en un lieu parfaitement isolé. Il se tourna vers elle.

— N'aie pas peur, Jan. J'ai l'impression que je peux lire tes pensées. Je t'assure que tu es en sécurité avec moi. La seule raison pour laquelle je voyage sous une identité d'emprunt est que l'homme que je recherche connaît tout le monde, même le chef de la police. Si j'utilisais mon vrai nom, je ne pourrais jamais parvenir jusqu'à lui. D'après mon passeport, je suis géologue et je possède des documents pour prouver que c'est vrai. Les caisses à l'arrière de la Land Rover contiennent du matériel géologique et des échantillons que j'ai prélevés. Pour tous ceux qui m'ont rencontré en Paragonie, je suis un géologue un peu fou, mais inoffensif, qui parcourt le pays en vue d'écrire un livre.

— Mais ce n'est pas le cas, n'est-ce pas?

— Tu as parfaitement raison. L'homme que je recherche détient quelque chose qui appartient à mon père — qui lui appartenait, plus exactement, car il est récemment décédé. Avant sa mort, je lui avais promis de retrouver cet objet et je tiens toujours mes promesses. C'est aussi simple que cela. Maintenant, tu comprends pourquoi je ne tenais pas à être impliqué dans une bagarre.

— Mais vous l'avez fait, pourtant vous auriez pu vous enfuir.

— En t'abandonnant à ces brutes?

Il écrasa son mégot dans le cendrier. L'obscurité était maintenant absolue.

— Non, je n'aurais pas pu. Tu n'es qu'un enfant. Je me suis enfui, mais avec toi. J'ai eu la surprise de ma vie quand tu as parlé anglais.

— Moi aussi, quand vous m'avez répondu dans la même langue. Je vous suis reconnaissant pour ce que vous avez fait, mais je vais sans doute vous gêner quand vous irez voir votre mystérieux personnage.

— Pas du tout. Je te laisserai dans la ville la plus proche, mais ne sois pas inquiet, tôt ou tard nous arriverons à San Rafael. Je voulais seulement t'avertir que ce ne sera vraisemblablement pas pour tout de suite, mais puisque tu n'es pas particulièrement pressé...

— Mais vous ? Ne rentrerez-vous pas aussi en Angleterre ?

— Oui, mais il faudra que je quitte la Paragonie beaucoup plus loin. Il fera tout surveiller sur des centaines de kilomètres, et n'oublie pas que j'aurai quelque chose à cacher.

— C'est un pays dangereux, je le sais pour y avoir habité toute ma vie. Si cet homme est si puissant, ne serait-il pas préférable que vous ne soyez pas seul ?

— Avec quelqu'un comme toi ? rétorqua-t-il en riant. Je suis sûr que tu n'as même pas de passeport.

— En effet, il faudra que je m'en fasse faire un.

— As-tu au moins un extrait de naissance ?

— Oui.

— Dans ce cas, tu n'auras pas trop de difficultés. Oh ! il me semble que...

Il s'interrompit et elle l'entendit tapoter nerveusement sur le tableau de bord.

— Comment ?

— Je viens d'avoir une idée. Il faut que je réfléchisse avant de peut-être t'en parler. Je sors un instant. Reste ici.

34

Il ouvrit la portière, sauta sur le sol et la claqua. Janna se demandait pourquoi elle avait voulu lui suggérer de l'accompagner dans la partie la plus délicate de son expédition. Au moment où il voudrait continuer seul, il lui faudrait lui dire la vérité. Un homme et une femme voyageant ensemble attirent moins l'attention qu'un homme seul, surtout s'il est recherché par la police. Qu'avait-il l'intention de passer en contrebande ? Des bijoux ? Des pièces d'or ? Toutes les hypothèses étaient permises. Il revint et prit un anorack derrière son siège.

— Il fait terriblement froid dehors. On va bientôt geler. Veux-tu un chandail ?

— Si vous en avez un en réserve, volontiers.

— Je me suis parfaitement équipé pour cette expédition. Regarde derrière toi, dans la caisse à côté de ta valise. Je ne peux le faire moi-même, mon bras est encore trop raide.

Elle se pencha et alluma la lumière intérieure. Quelques instants plus tard, elle avait enfilé un épais pull-over. Elle eut immédiatement plus chaud et pensa que, s'ils continuaient à voyager à cette altitude, elle pourrait même le porter dans la journée, sous la jaquette de peau de mouton, dissimulant ainsi plus parfaitement sa silhouette féminine. Evidemment il serait plus simple de lui annoncer qu'elle était une fille, mais elle craignait un peu sa réaction. Sans doute ne la chasserait-il pas immédiatement, mais s'il décidait de la quitter à la première occasion, en la laissant dans une mission, par exemple ? Et puis, des relations confiantes se développaient graduellement entre eux. La révélation prématurée de son vrai sexe risquait de les compromettre.

Janna avait rencontré très peu d'hommes dans sa vie. Son père l'avait toujours mise en garde contre ceux dont elle pourrait faire la connaissance à Santa Cruz ou dans les grandes villes. Il lui avait fermement recommandé de ne jamais rester seule avec l'un d'eux. En partant avec Luke, elle avait transgressé cette règle, mais son père n'était plus là pour la conseiller. Son instinct lui dictait de continuer à prétendre être un garçon…

En un certain sens, son instinct ne la trompait pas, mais d'un autre côté elle était totalement dans l'erreur. Son inexpérience des hommes allait la trahir pour une raison qu'elle ne pouvait même pas imaginer. Heureusement pour sa tranquillité d'esprit, elle ne s'en doutait absolument pas.

— Merci pour le chandail, j'ai beaucoup plus chaud maintenant.

— Veux-tu manger quelque chose ?

— Je n'ai pas particulièrement faim. Et vous ?

— Moi non plus. Attendons demain. Si tu as soif, il y a une bonbonne d'eau derrière.

— Je l'avais repérée. Puis-je dégager une place pour que vous puissiez vous étendre ?

— Oui, tu peux m'aider. J'ai des couvertures et un sac de couchage ; un seul malheureusement : je ne comptais pas sur un passager.

— Puis-je dormir devant, sur les sièges ?

— Pourquoi pas ? Maintenant, allons nous coucher.

Elle prépara une place pour Luke qui lui donna deux couvertures, glissa un carton entre les deux sièges, sortit quelques minutes puis verrouilla toutes les portes et s'étendit sur son lit de fortune.

— Bonne nuit, Luke.

— Fais de beaux rêves, Jan.

Quelques minutes plus tard, il était profondément assoupi. Janna ne trouva pas le sommeil aussi facilement. Trop de choses lui étaient arrivées depuis la veille. Quel miracle que Luke se soit justement arrêté chez Señora Lopes, alors qu'il y avait à Santa Cruz nombre d'endroits semblables.

Elle se réveilla au petit jour, courbatue. Elle sortit silencieusement pour ne pas le réveiller et fit quelques mouvements pour rétablir la circulation du sang. Un épais brouillard humide l'entourait. Elle apercevait à peine les premiers arbres. Elle revint s'asseoir dans la voiture en attendant que Luke s'éveillât. Elle avait faim et soif mais craignait de faire du bruit. Il devait conduire avec un bras blessé, et avait donc besoin de se reposer le plus longtemps possible avant de reprendre la route. Soudain, il poussa un grognement et s'assit, les yeux embués de sommeil.

— Ah ! C'est toi ? Tu es là ?

— Où imaginiez-vous que j'étais ?

— J'ai dû rêver. Tu étais parti. C'était vraiment un étrange cauchemar, ajouta-t-il en se grattant la tête. Une tasse de café me ferait du bien.

— Je l'aurais déjà préparé, mais je ne voulais pas vous réveiller. Maintenant que c'est fait, passez-moi le fourneau, je vais l'allumer dehors.

Quelques instants plus tard, l'eau bouillait. Elle mit de la poudre de café soluble dans deux tasses et les remplit d'eau. Dans la même casserole elle transvasa le contenu d'une boîte de ragoût de mouton aux légumes et la remit sur le feu.

— Pouah ! J'avais oublié que nous étions très haut, dit-il en s'asseyant sur le marchepied.

Elle but une gorgée à son tour et fit la grimace.

— C'est parce que l'eau bout à basse température, n'est-ce pas ?

— Oui, c'est pourquoi elle n'est que tiède. La qualité du café s'en ressent.

— J'ai fait de mon mieux, répondit-elle sur un ton agressif.

— Je n'ai pas dit le contraire, ne te fâche pas, rétorqua-t-il en riant.

Janna se mordit les lèvres. Elle était stupide de se sentir offensée par une simple remarque. De plus, c'était vrai, le café n'était vraiment pas bon. Elle servit le ragoût, espérant qu'il serait meilleur. Il l'était, et ils le mangèrent en silence. Quand ils eurent terminé et qu'elle eut nettoyé les ustensiles avec du papier absorbant, Luke se leva.

— Pourrais-tu t'occuper de mon bras ?

— Certainement. Ensuite nous repartirons, n'est-ce pas ?

— Pas avant que le brouillard ne se soit dissipé.

— Alors, nous devrons attendre ?

— Oui, nous attendrons.

— Peut-être que dans un ou deux kilomètres...

— Veux-tu conduire ? Où est l'urgence ?

— Je ne sais pas.

— Bon. Dans ces conditions, laisse le fourneau refroidir dehors. Viens avec moi et ferme la porte, j'ai envie de fumer une cigarette.

Elle monta et claqua violemment la portière. Elle était irritée sans même savoir pourquoi. Il alluma sa cigarette et la regarda d'un air ironique.

— J'espère que la fumée ne te dérange pas.

— Pas le moins du monde.

— Pourtant, à voir ton visage...

— Il est ce qu'il est !

Elle aurait voulu se taire, mais son démon intérieur la poussait à répliquer.

— Tu pourrais au moins sourire. Tu as une vraie tête à claques, ce matin.

— Eh bien ! Giflez-moi et faites vous-même votre maudit pansement !

— Qu'est-ce qui t'arrive, mon garçon ?

Elle évitait délibérément de le regarder. Il lui prit le menton et l'obligea à le faire.

— Et ne détourne pas les yeux quand je te parle.

— Allez au diable.

Il la lâcha brusquement. Ses yeux avaient la dureté de l'acier.

— Tu mériterais une correction. Si tu n'étais pas un aussi jeune garçon...

Elle avait les mâchoires serrées et bandait sa volonté pour retenir les larmes qui l'auraient trahie. L'atmosphère, à l'intérieur de la voiture, était lourde d'hostilité réciproque. Le pire était qu'elle ne comprenait pas pourquoi elle s'était ainsi irritée. Luke la considérait avec une fureur contenue qui lui faisait peur. Elle ouvrit la porte et sauta sur le sol.

— Où diable veux-tu aller ?

— Nulle part. Je serai de retour dans une minute.

Elle alla se dissimuler derrière les arbres et découvrit qu'elle tremblait de tous ses membres. Que devait-elle faire maintenant ? S'excuser, quitte à passer pour une mauviette ? Surtout ne pas pleurer, car les garçons ne pleurent pas, encore moins à seize ans.

— Jan ! Reviens.

Elle lui obéit. Il l'attendait devant la Land Rover.

— Je vous demande pardon, je n'ai pas le droit de me montrer insolent.

— N'en parlons plus. Veux-tu me refaire mon pansement ?

Elle retira celui du père Siméon. La plaie avait l'air saine. Elle remit une pommade antiseptique, plaça des compresses de gaze sur les points de suture et emmaillota le bras de Luke, en prenant soin de ne pas lui faire mal, de peur qu'il ne se remît en colère.

— Cela ira-t-il ?

— C'est parfait, merci beaucoup.

Il la regardait en souriant.

— N'aie pas peur. Je ne vais pas te frapper, j'ai trop besoin de toi pour mon bras.

Elle lui rendit timidement son sourire.

— As-tu déjà pris part à des bagarres ?

— Quelques-unes, mentit-elle.

— Il faudra que je t'apprenne à te défendre.

Il se pencha sur elle et lui saisit le bras au-dessus du coude.

— Grand Dieu ! Où sont tes muscles ?

Elle arracha son bras et protesta :

— Ce n'était pas honnête, mon bras était détendu.

— C'est bien pourquoi je l'ai fait. Tu as besoin de te faire les muscles, fiston.

— Je suis parfaitement heureux comme je suis.

— En Angleterre, peut-être, mais ici, tu risques de tomber de haut. Quand mon bras ira mieux, je te montrerai quelques exercices pour renforcer tes biceps.

— Vous semblez porter beaucoup d'intérêt à ma musculature.

— Disons plutôt que je m'inquiète pour un jeune garçon isolé dans un pays très dur.

— Et vous, naturellement, vous savez vous débrouiller en toute circonstance.

— Je crois que oui. Il y a peu de pays où je ne me sois rendu.

— Etes-vous un explorateur ?

— Pas plus que géologue.

— Alors, que faites-vous dans la vie ?

— Tiens-tu vraiment à le savoir ?

— Sinon, aurais-je posé la question ? Maintenant, si je suis indiscret, il suffit de me le dire.

— Pas du tout, ta curiosité est bien naturelle. Tu n'arriveras jamais à rien, Jan, si tu ne poses pas de questions. Je vais te raconter. Mon grand-père a fondé une grande entreprise de produits pharmaceutiques. J'entends qu'elle a grandi jusqu'à devenir un véritable empire. Il a commencé dans une petite officine, mais quand mon père en a hérité, elle comptait déjà plusieurs usines en Grande-Bretagne. Aujourd'hui, nous avons des filiales dans le monde entier. Comme tu le vois, ton père et le mien avaient des professions voisines. As-tu jamais entendu parler de... et puis non, je ferais mieux de ne pas en dire plus maintenant.

— Charmant ! Est-ce pour faire durer le suspense ?

— En quelque sorte.

— Et où vous situez-vous ?

— J'ai deux frères. Mon père nous a légué toutes ses affaires. Marc, qui a une année de moins que moi, dirige la maison mère en Angleterre. Bob, de quatre ans plus jeune, s'occupe de nos intérêts en Australie et moi, je fais la tournée des filiales dans le reste du monde, choisissant des emplacements pour de nouvelles usines.

— Et vous aimez cela ?

— Oui, je n'ai pas l'esprit sédentaire comme Marc. Mais ma présence ici n'a aucun rapport avec mes activités. Mon père était philatéliste. Il avait la plus fabuleuse collection qu'on puisse imaginer. Il y a neuf ans, uh Paragonien, un certain Don Raoul Cordilla qu'il connaissait bien et auquel il faisait confiance, a réussi à lui soustraire un album de vignettes rares, contenant notamment un exemplaire du timbre triangulaire de la colonie du Cap. En as-tu jamais entendu parler ?

— Non, jamais.

— C'est un timbre rarissime. Il n'en existe que fort peu dont l'authenticité soit incontestable. Raoul Cordilla disparut et mon père a seulement retrouvé sa trace il y a un an, en lisant un journal consacré à la philatélie. Il était obsédé par le désir de récupérer ce timbre, les autres l'intéressaient beaucoup moins. Cordilla collectionne tout ce qui a beaucoup de valeur dans un petit volume et nous savons que c'est un voleur. J'ai l'intention de reprendre ce timbre auquel mon père tenait par-dessus tout.

— Comment comptez-vous vous y prendre ?

— J'ai quelques idées. Bien entendu, je ne vais pas sonner à sa porte et m'annoncer comme le fils du vrai propriétaire du timbre. Je ne suis pas non plus assez irresponsable pour tenter un cambriolage. Mais il existe d'autres méthodes. Je ne déciderai que quand j'aurai appris où il habite exactement et à quel point il est accessible. Je compte sur sa vanité, qui ne connaît pas de limite.

— Puisque vous le connaissez, il va vous reconnaître.

— C'est très peu vraisemblable. Il m'a vu quelques fois il y a dix ans, quand mon père l'avait invité à séjourner chez nous, mais à cette époque, j'avais une barbe, comme le voulait la mode.

Janna resta quelques minutes silencieuse. Elle ne pouvait croire qu'un simple timbre-poste pût valoir une fortune et ne comprenait pas que Luke envisage de risquer sa vie pour le récupérer.

— Tu as l'air songeur. Qu'en penses-tu ?

Elle le lui expliqua et vit son visage se fermer.

— J'ai fait une promesse à mon père et je vais la tenir en souvenir de lui.

— Pourquoi, puisqu'il est mort ? Avez-vous besoin de cet argent ?

— Pas du tout, précisa-t-il en la regardant avec étonnement, c'est une question de principe, tu comprends.

— Non, je ne comprends pas, répliqua-t-elle en oubliant qu'elle s'était promis de ne pas le heurter de front. Rien ne justifie le risque que vous vous apprêtez à prendre.

Janna était furieuse contre lui. Elle ne comprenait pas pourquoi ce qui pouvait arriver à cet étranger lui importait, mais elle ne supportait pas la perspective qu'il puisse lui arriver malheur. Soudainement, elle se rendit compte de ce qui se passait dans son cœur, et serra les poings en adressant à Dieu une prière pour qu'elle ne se trahît pas.

— Alors, tu es totalement différent de moi, conclut-il sèchement.

Il ne pouvait savoir à quel point il avait raison, se disait Janna. Mais elle n'eut pas la prudence de se taire.

— En effet, nous sommes différents. Moi, je n'accorde pas une telle importance à l'argent !

— Vraiment ! rétorqua-t-il sur un ton méprisant. Où en serais-tu si je n'avais pas d'argent ? Esclave chez Señora Lopez, dans l'espoir d'en gagner assez pour aller en Angleterre !

— Oui, et j'aurais réussi.

— Ne me fais pas rire. Tu es incapable de te débrouiller. Quand cette bagarre a commencé, j'ai bien vu que tu étais paralysé par la peur. Jamais tu ne serais arrivé entier à San Rafael. N'oublie pas qu'il y a des hommes qui sont friands de garçons comme toi.

Elle tremblait de colère et de peur.

— Que voulez-vous dire ?

— En plus, tu es stupide, fit-il remarquer en riant. Ton père aurait-il oublié de te mettre au courant de ce qu'un joli garçon devrait savoir ?

— Je ne suis pas stupide ! C'est vous qui l'êtes.

Elle serrait les poings, regrettant amèrement de n'être pas un homme pour pouvoir lui donner une leçon. Elle le haïssait, elle haïssait son arrogance et ses airs supérieurs.

— Je te conseille vivement de te taire. Tu en as déjà trop dit, menaça-t-il en agrippant le volant.

— Non, je n'ai pas terminé. Pour qui vous prenez-vous ? J'aurais dû rester à Santa Cruz ou à la mission.

— Ce n'est pas le cas, pour mon malheur. J'en ai plus qu'assez de tes enfantillages. Tout ce que tu mériterais, c'est une bonne volée. J'espère que cela t'arrivera un de ces jours et que j'aurai la satisfaction d'y assister.

Ayant complètement perdu le contrôle de ses nerfs, Janna se précipita sur lui et lui donna un grand coup de poing dans le visage, puis elle ouvrit la porte et s'enfuit dans la forêt. Il se lança à sa poursuite et, aveuglée par les larmes, elle s'écrasa contre un arbre. Il la saisit par le bras et l'attira à lui. La fureur rendait le visage de Luke terrifiant. Soudain, il la repoussa comme s'il s'était brûlé à son contact.

— Retourne à la voiture avant que je ne te donne une correction que tu n'oublieras pas de sitôt !

— Non, je ne veux pas. Laissez-moi tranquille.

Il la prit par les épaules, la secoua violemment et la gifla à deux reprises à toute volée.

— Je t'ai ordonné de rentrer dans la Land Rover. Tu vas le faire et ensuite, tu me présenteras tes excuses.

Il la poussait vers la voiture. Elle avait la lèvre tuméfiée et courait aussi vite qu'elle pouvait. Arrivée près de la portière, elle se retourna et lui fit signe de ne pas la pousser davantage, mais il lui prit les deux bras et les replia derrière son dos. Elle tomba à genoux et il se baissa pour la relever, l'empoignant vigoureusement.

— Oh ! mon Dieu ! s'exclama-t-il en la lâchant.

Janna, épuisée, se laissa choir sur le sol. Luke la regardait d'un air hébété et mit plusieurs minutes à se remettre du choc qu'il venait de subir. Finalement, il s'approcha lentement. Prise de panique, elle mit un bras devant son visage.

— Non, je vous en supplie, ne me frappez plus.

— Au nom du ciel ! Vous frapper ? Cela me serait absolument impossible. Jan... pourquoi ne me l'aviez-vous pas dit ?

Alors seulement elle comprit que Luke avait découvert la vérité.

4

Janna, le visage inondé de larmes, se releva et vint s'appuyer à la Land Rover, à côté de Luke.

— Pourquoi ne me l'aviez-vous pas dit ? répéta-t-il machinalement.

— J'avais peur.

— Et moi qui ai failli vous assommer ! Ne comprenez-vous pas ? Jamais de ma vie je n'ai frappé une femme ! Mon Dieu, pourquoi... pourquoi ?

— J'ai pensé que cela serait préférable. Quand je travaillais chez Señora Lopez, elle prétendait que j'étais son neveu. Puis vous êtes arrivé, la bagarre a éclaté et il m'a semblé logique de conserver mon personnage de garçon.

Il étendit devant lui une main encore tremblante.

— Regardez cela ! Vous rendez-vous compte de ce que vous m'avez fait ?

— Je ne peux pas vous dire combien je suis désolée.

— Montez dans la voiture, j'ai besoin d'un remontant. Il prit un flacon de whisky dans la boîte à gants, lui versa un verre qu'elle avala d'un trait, puis il en fit autant.

— Vous auriez dû me dire la vérité. J'ai failli vous faire très mal. Je me rendais bien compte que quelque chose n'allait pas, mais je ne comprenais pas de quoi il s'agissait. Je vous prenais pour un garçon un peu efféminé… et j'avais envie de vous protéger. C'est pourquoi j'étais aussi furieux. Vous ai-je fait très mal ?

— Vous m'avez meurtri les lèvres, mais ce n'est pas très grave.

— J'espère que vous me pardonnez.

— C'est moi qui vous demande pardon. De m'être mise en colère et d'avoir provoqué la vôtre. Je ne comprends pas ce qui m'est arrivé.

— Votre vrai nom n'est sans doute pas Jan.

— C'est presque le même ; je m'appelle Janna.

— Janna. Il faudra que j'en prenne l'habitude.

— M'auriez-vous emmenée avec vous si je vous avais dit la vérité ?

— Je ne sais pas. En tout cas, je ne vous aurais pas laissée chez Señora Lopez, mais je vous aurais peut-être confiée à la mission. Honnêtement, je ne sais pas ce que j'aurais fait.

— Souhaitez-vous que j'y retourne ?

— Non, plus maintenant. Mais je vais probablement devoir modifier mes plans. Je ne veux pas vous exposer au danger.

— Je suis forte, pour une femme. Et je n'ai pas peur.

— J'en suis persuadé, dit-il en riant. Maintenant je ne m'étonne plus de ne pas vous avoir trouvée assez musclée ! Quand je vous ai agrippée, je croyais que mon imagination me jouait des tours. Il est incroyable que je n'aie pas compris plus tôt que vous étiez une femme. A vrai dire, vous ne ressemblez même pas à un garçon.

— Frère Marcus a tout de suite compris. Il m'a fait promettre de me mettre en relation avec ses amis en Angleterre.

— Maintenant, je comprends pourquoi vous teniez tant à porter ma peau de mouton.

— Et votre pull-over. Etes-vous très fâché ?

— Pour l'instant, je suis surtout soulagé. Je n'étais

plus moi-même en votre présence... Vous m'intriguiez d'une façon inhabituelle.

Janna se sentit rougir en comprenant la signification de cette déclaration.

— Quel âge avez-vous ?

— J'ai presque vingt ans.

— Avez-vous jamais eu de petit ami ?

— Non, annonça-t-elle en rougissant de plus belle.

— Alors, vous êtes doublement en sécurité. Votre innocence vous protège. N'avez-vous pas eu peur quand vous avez appris que vous alliez partager une chambre avec moi, à la mission ?

— J'étais terrorisée à l'idée que vous alliez vous déshabiller devant moi et que je devrais vous imiter. Quel soulagement quand vous n'en avez rien fait !

— Ma pauvre enfant ! Comment pouviez-vous espérer continuer à jouer ce rôle ?

— Je ne sais pas au juste, mais je suis heureuse que vous ayez découvert la vérité.

— D'un côté cela me simplifie la vie, mais d'un autre, cela me la complique !

— Que voulez-vous dire ?

— Eh bien, vous êtes une femme et je me sens responsable de votre sécurité, ce pays est difficile pour une femme. Ainsi je ne pourrai pas vous laisser seule comme je l'avais prévu quand j'irai chez Raoul Cordilla.

— Laissez-moi vous accompagner. Un couple voyageant ensemble attirerait moins l'attention. Nous pourrions prétendre être mariés et...

Janna s'interrompit, de peur d'en avoir trop dit.

— Vous avez peut-être raison. Oui, un homme et une femme... Cela mérite réflexion.

Il la regarda attentivement, d'un air sérieux.

— Evidemment, vous avez les cheveux courts, mais c'est la mode. Et puis vous êtes très féminine. Je devais être aveugle pour ne pas m'en être aperçu plus tôt !

Le brouillard commençait à se lever. Luke décida qu'il était temps de reprendre la route.

— Allez chercher le fourneau, s'il vous plaît. Je pense que nous pourrons atteindre Rio de Oro avant la nuit. Quand nous y serons parvenus, nous déciderons de la suite à donner à notre expédition.

Dix minutes plus tard, ils avaient quitté la clairière.

A la nuit tombante, ils pénétrèrent dans Rio de Oro, traversèrent les quartiers les plus déshérités et prirent l'avenue principale, grouillante de monde, illuminée par les enseignes au néon des bars, restaurants, boîtes de nuit et hôtels.

— Il y a un bon hôtel un peu plus loin. J'ai tellement envie de prendre un bain... N'est-ce pas aussi votre cas, Janna?

— Oui, c'est un luxe indispensable.

— Attention, nous sommes paragoniens, nous venons de Santa Cruz et nous sommes mariés.

— Pardon?

— Je vous rappelle que c'était votre idée. Mais rassurez-vous, je ne profiterai pas de la situation. Je préfère simplement vous avoir près de moi, pour des raisons évidentes. Regardez autour de vous. Avez-vous jamais rien vu de pareil?

— Non. C'est encore pire qu'à Santa Cruz.

— Vous ne savez pas de quoi ces hommes seraient capables. Des petites filles comme vous, ils n'en font qu'une bouchée. Avez-vous une idée d'un nom pour nous deux?

— Lopez?

— Très bien : Lucas et Janna Lopez. Señor et Señora Lopez. Allons-y.

Il engagea sa voiture dans une rue latérale, moins violemment éclairée, moins bruyante, et s'arrêta devant un bâtiment prétentieux : l'hôtel Negresco. Jugeant sur l'apparence, le réceptionniste les accueillit froidement, mais dès que Luke eut tiré de sa poche une liasse de billets de banque, il devint tout sourire.

Un quart d'heure plus tard, ils se retrouvèrent dans une grande chambre dans laquelle trônait un lit immense. Janna le regarda puis tourna lentement son visage en direction de Luke qui leva un bras.

— Ne le dites pas, Janna.

— Mais...

— Je lis dans vos pensées. Quand je me mets au lit, c'est pour dormir. Et si vous pensez que je vais vous offrir de dormir par terre, vous vous trompez. Je suis désolé de vous décevoir, mais mon instinct chevaleresque ne va pas jusque-là.

Il s'approcha d'elle et lui prit le visage entre ses mains.

— Vous êtes parfaitement en sécurité avec moi. J'espère que vous me croyez.

— Oui, répondit-elle d'une toute petite voix.

— Bon. Maintenant, dites-moi si vous avez quelque chose d'un peu plus féminin dans votre valise. Sinon nous trouverons sûrement une boutique encore ouverte.

— J'ai une robe, mais je l'ai faite moi-même.

Du fond de sa valise, elle tira une robe simple de coton bleu, sans manches, toute chiffonnée.

— Suspendez-la au-dessus de la baignoire pendant que vous faites couler votre bain. La vapeur la défroissera.

Il retira ses chaussures et s'étendit sur le lit.

— Allez-y. Pendant ce temps, je vais me reposer.

Quand elle ressortit de la salle de bains, elle trouva Luke assoupi. Janna le secoua gentiment et il ouvrit de grands yeux étonnés.

— Quelle prodigieuse transformation !

La robe, encore humide, moulait les formes qu'elle avait soigneusement cherché à dissimuler. Ses bras étaient longs et minces, ses jambes bronzées élégantes, et ses cheveux, encore mouillés, encadraient délicieusement son joli visage. Il lui fit un grand sourire et se leva.

— Il n'y a plus aucun doute, vous êtes une vraie demoiselle. Vous êtes très belle, Janna.

Il gardait les yeux fixés sur elle, comme s'il ne réussissait pas à s'arracher à ce ravissant spectacle. Janna sentait son pouls s'accélérer, car aucun homme ne l'avait jamais regardée comme cela. Soudain, elle eut envie qu'il l'embrassât. Honteuse de cette pensée, elle détourna vite le regard.

— Mais votre bras ? Comment allez vous…

— Voulez-vous m'aider ? questionna-t-il d'un ton moqueur. Non, ne répondez pas, je pourrai me débrouiller seul.

Il ouvrit sa valise, en tira une chemise blanche, des sous-vêtements propres et sa trousse de toilette. Ensuite, il passa dans la salle de bains en sifflotant. Il avait laissé sa valise ouverte et en désordre. Janne s'accroupit et entreprit de la ranger. Quand elle voulut la refermer, une feuille de papier bleu s'échappa d'une poche du couvercle et tomba sur le tapis. Elle la ramassa et s'apprêta à la remettre à sa place, mais elle ne put résister à sa curiosité et la déplia. C'était une lettre d'une grande écriture ronde :

« Luke chéri, reviens vite. Tu me manques tellement. Quand tu m'as annoncé ton départ, j'ai cru mourir. Pourquoi est-ce toujours toi qui vas dans ces pays lointains ? Pourquoi pas Marc pour changer ? Le mariage est pour bientôt et je compte sur ta présence (Ha, ha !). Je ne cesse de penser à toi et je ne puis plus attendre que tu me prennes dans tes bras. Il faut que j'arrête ici cette lettre, car j'ai trop de souvenirs délicieux, et comme je ne t'ai malheureusement pas ici, à côté de moi… »

Janna remit la lettre en place, incapable d'en lire davantage. Elle se sentait d'autant plus honteuse de son indiscrétion qu'elle venait d'une femme qui l'aimait et qu'il allait épouser dès son retour en Angleterre. Pendant un instant, une puissante force intérieure l'avait poussée à déchirer cette lettre ou à la brûler et cette réaction l'effrayait. Elle s'expliquait maintenant pourquoi il avait affirmé d'un ton si décidé qu'elle n'avait rien à craindre de lui. Le cœur de Luke était déjà pris.

— Je meurs de faim, descendons, dit-il d'une voix joyeuse en rentrant dans la chambre.

Elle lui répondit par un grand sourire, dissimulant la troublante tristesse qui l'avait envahie.

Ils dînèrent dans une petite salle à manger, prenant soin de parler espagnol quand le serveur se trouvait à proximité. Ils burent du vin avec leur repas et une liqueur avec leur café. Janna, qui avait retrouvé sa bonne humeur, était détendue quand ils remontèrent dans leur chambre. Luke verrouilla la porte et retira le couvre-lit.

— Un oreiller ou deux ?

— Un seul, mais pourquoi...

— Très bien, dit-il en prenant un oreiller et en le plaçant au centre du lit. C'est la frontière, moi de ce côté et vous de l'autre. Cela vous convient-il ?

— Je suppose que oui.

— Ce n'est pas une supposition. Nous allons dormir ainsi, à moins que vous ne préfériez une autre chambre pour vous. Mais avez-vous remarqué le regard du garçon ?

— Non, pas spécialement.

— Il vous déshabillait littéralement des yeux.

— Vous êtes dégoûtant ! fit-elle remarquer avec un petit rire gêné.

— Voyons, Janna, vous n'êtes tout de même pas aussi naïve. Vous n'aviez vraiment rien vu ?

— Vraiment, je vous assure, répondit-elle d'un ton sec.

— Et le play-boy à la table du coin non plus ?

— Celui-là, oui. J'ai bien vu qu'il me regardait.

— Avec un regard libidineux. Eussiez-vous été seule…

— D'accord, vous avez réussi votre démonstration. Je suis très fatiguée, Luke.

— Moi aussi. Avez-vous un pyjama ?

— Non, mais j'ai une chemise de nuit.

— Allez vous déshabiller dans la salle de bains. Je vous jure que je ne regarderai pas !

Il ouvrit sa valise et en tira un pyjama noir.

— Luke, êtes-vous marié ?

— Non, pourquoi ?

— Alors, avez-vous une petite amie ?

— Pourquoi me demandez-vous cela ? Vous sentiriez-vous davantage en sécurité si je vous répondais que oui ?

— Je ne sais pas. Je me posais seulement la question.

— J'ai une très grande amie. Etes-vous satisfaite ?

Elle ne répondit pas et se pencha sur la valise. Il vint vers elle et la releva.

— L'êtes-vous ? Pourquoi vouliez-vous le savoir, Janna ?

Il remarqua sa pâleur et ses traits fatigués et lui conseilla gentiment d'aller se coucher.

— Nous parlerons demain, ajouta-t-il en la poussant vers la salle de bains.

Elle se lava les dents et se prépara pour la nuit. Quand elle revint, il était déjà au lit. Elle s'y glissa à son tour, s'étendit tout près du bord, loin de l'oreiller-barrière, et éteignit la lumière.

— Bonne nuit, Janna, dit-il doucement.

— Bonne nuit, Luke.

Il s'était mis sur le côté, lui faisant face. Après quelques minutes, elle entendit le bruit qu'elle espérait : celui d'une respiration profonde et régulière. Luke dormait. Janna savait qu'elle ne pourrait trouver le sommeil, car elle partageait un lit avec un homme séduisant et troublant qu'elle connaissait à peine, mais qui correspondait à ceux qui avaient hanté ses rêves d'adolescente. Cette fois, cependant, il s'agissait d'une réalité concrète. En faisant son examen de conscience, elle dut reconnaître qu'elle était en train de tomber amoureuse de lui et qu'elle souhaitait qu'il la prît dans ses bras.

Elle prit son oreiller dans ses bras et le berça comme elle aurait fait d'une poupée. Elle distinguait, de l'autre côté du lit, la forme de Luke profondément endormi. Graduellement, elle sombra dans le sommeil.

Quand elle s'éveilla, ce fut comme la continuation d'un rêve : il la tenait dans ses bras. Le cœur de Janna se mit à battre à tout rompre, puis elle s'aperçut que Luke, toujours endormi, n'était pas conscient de sa position. L'oreiller avait disparu. Un instant plus tard, elle le sentit à ses pieds et se rendit compte que ses jambes étaient contre les siennes, son corps contre le sien. Une grande bouffée de chaleur l'envahit et elle resta parfaitement immobile, de peur de l'éveiller. Elle était en sécurité, elle le savait et le sentait...

Le jour commençait à se lever. Elle distinguait mieux son compagnon, ses pommettes saillantes, ses sourcils et ses cheveux noirs, son menton ferme, bleu par la barbe. Un léger sourire se dessinait sur sa bouche, comme s'il était plongé dans un rêve agréable.

— Je vous aime, murmura-t-elle dans un souffle.

Et elle imagina qu'il l'avait entendue, qu'il l'aimait en retour. Mais elle savait bien que ce n'était pas le cas. Il en aimait une autre, qui lui écrivait des mots tendres sur du papier bleu, qui attendait son retour avec impatience, qui avait des souvenirs en commun avec lui. Janna pouvait seulement deviner ces souvenirs, elle n'en possédait aucun de ce genre.

Soudain, Luke remua. Elle fit semblant de dormir en

priant pour que les battements de son cœur affolé ne la trahissent pas.

— Janna ! Au nom du ciel, où est passé l'oreiller ?

— A mes pieds, je ne comprends pas comment il a pu glisser jusque-là...

Elle eut un geste que sa raison lui déconseilla, mais elle n'y prit garde : elle entoura Luke de ses bras.

— Je me sens si bien, Luke, murmura-t-elle.

Et elle poussa un profond soupir.

— Bien, mais aussi en danger. Ecoutez, Janna, je suis désolé...

Elle l'interrompit par un rire. Il pouvait avoir mille fiancées, elle s'en moquait. Elle lui demandait seulement de lui accorder ces quelques instants.

— Serrez-moi fort dans vos bras, je me sens tellement en sécurité près de vous...

— Non, vous ne l'êtes pas, vous ne pouvez savoir...

— Je sais que j'ai confiance en vous, j'avais tort d'avoir peur, je vous en demande pardon.

Il essaya de la repousser, mais elle se pressa contre lui et noua ses jambes autour des siennes.

— S'il vous plaît, juste une minute.

— Ne soyez pas totalement stupide, vous sentez bien que...

Il se tut, l'enlaça étroitement et sa bouche trouva la sienne. Elle s'était souvent demandé comment elle réagirait si un homme cherchait à l'embrasser. Mais jamais elle n'avait imaginé ressentir des sensations aussi délicieuses. Tandis qu'il la caressait, elle s'agrippa à son cou, lui rendit ses baisers avec une passion qui venait du fond de son être, et s'abandonna totalement dans ses bras, intimement persuadée qu'ils ne pouvaient rien faire de mal puisqu'elle l'aimait.

— Janna chérie, dit-il d'une voix tremblante, vous ne savez pas ce que vous faites. Laissez-moi m'éloigner avant qu'il ne soit trop tard.

— Trop tard pourquoi ? murmura-t-elle en prenant

la main de Luke et la guidant autour de sa taille. Oh ! Luke, Luke, je ne savais pas...

Il retira brusquement sa main comme s'il s'était brûlé, poussa un juron, et s'écarta d'elle tellement vigoureusement qu'il tomba du lit. Janna se leva et vint s'agenouiller à côté de lui. Il était assis sur le sol, la tête dans les mains.

— Luke... commença-t-elle en lui posant une main sur les épaules.

Il l'écarta violemment.

— Ne me touchez pas, cria-t-il, laissez-moi !

Il se releva et fit face à Janna. Il tremblait comme s'il souffrait d'une forte fièvre.

— Ne me touchez pas, répéta-t-il, je vous en supplie, Janna, ne vous approchez pas de moi.

Il alla à la fenêtre et aspira à pleins poumons l'air froid du petit matin. Graduellement, il reprit contrôle de lui-même et quand Janna s'approcha de lui, il ne la repoussa pas. D'un geste tendre, il la saisit aux épaules.

— J'ai failli commettre l'irréparable, comprenez-vous ? Vous n'êtes pas naïve au point de ne l'avoir pas compris ? Un instant plus tard, il eût été trop tard.

— Je voulais seulement...

Elle s'interrompit et fondit en larmes.

— Je désirais seulement...

Elle ne put continuer : elle ne savait pas exactement ce qu'elle avait désiré.

— Je vais prendre une douche, décida-t-il.

Et il se rendit dans la salle de bains, mais cette fois, il ne sifflotait pas. Janna s'assit au bord du lit et s'efforça de retrouver ses esprits. Soudain, elle comprit ce qui avait failli se passer et devint écarlate. Elle avait honte de son comportement et ne comprenait pas quel démon s'était emparé d'elle.

Après quelques minutes, il revint, vêtu de son seul pantalon de pyjama, une serviette à la main. Tout en séchant vigoureusement ses cheveux, il vint s'asseoir à côté d'elle, le visage grave. Instinctivement, elle éleva la main devant son visage, comme si elle craignait d'être frappée.

— Janna, n'ayez plus peur. Vous aviez raison, nous n'aurions jamais dû dormir dans le même lit. La nature libère parfois en nous des pulsions difficilement contrôlables. J'en suis fâché.

— Fâché ? Vous me haïssez, n'est-ce pas.

— Comment pourrais-je vous haïr ?

— Je le sens.

Et elle éclata de nouveau en sanglots.

— Je vous supplie de ne pas pleurer, Janna. Vous êtes si jeune et si innocente. N'oubliez pas que j'ai quinze ans de plus que vous, presque deux fois votre âge. J'aurais eu de tels remords, comprenez-vous ?

Il poussa un profond soupir et déclara d'une voix ferme :

— Je ne veux plus prendre de risques. Désormais, nous partagerons une chambre, mais plus un lit. Vous avez besoin d'être protégée comme une enfant, et non que je fasse de vous une vraie femme prématurément. Un jour vous rencontrerez un homme que vous aurez choisi, que vous aimerez et qui vous aimera. Vous ne saurez jamais combien je me sens vertueux en ce moment et combien je souhaiterais l'être moins.

Il la prit tendrement dans ses bras et se mit à la bercer. Janna, encore tremblante, sentit son corps se détendre. Elle leva son visage vers celui de Luke et lut une telle anxiété dans son regard qu'elle se força à sourire pour le rassurer.

— Vous avez raison, murmura-t-elle, je vous demande pardon, j'étais tellement...

Il lui posa un doigt sur les lèvres.

— Ne vous excusez pas, vous étiez vous-même, passionnée et totalement féminine. Oui, un homme sera profondément heureux, un jour, grâce à vous.

Il lui serra le bras.

— Il faut nous séparer. Je crois que ma main est maintenant assez ferme pour que je me risque à me raser.

Elle se leva, mais il la retint par le bras.

— Attendez, Janna, il faut que nous parlions avant de descendre.

— Maintenant?

— Non, quand nous nous serons habillés. Cela sera plus facile ainsi.

Elle se sentit envahie par la panique.

— De quoi voulez-vous parler?

— Je vous le dirai tout à l'heure, quand vous vous serez lavée et habillée. C'est en rapport avec votre voyage en Angleterre.

Elle se précipita dans la salle de bains, le cœur battant. Que pouvait-il bien vouloir lui annoncer?

— Asseyez-vous au bord du lit.

— Oui, Luke.

Elle obéit. Il prit une chaise et s'assit en face d'elle.

— Que diriez-vous d'aller en Angleterre en avion avec moi ?

— Quoi ? Vous voulez plaisanter !

— Pas du tout, je suis parfaitement sérieux. Je ne peux pas continuer mon expédition avec vous, mais je ne peux pas vous laisser seule non plus. D'autre part, je ne pense pas que vous obtiendrez un passeport facilement, mais j'ai un plan.

Il se passa la main sur le front puis continua :

— Promettez-moi de ne pas m'interrompre avant que j'aie terminé.

— Je vous le promets.

— Je connais bien ce pays où je suis venu à plusieurs reprises. Je sais combien la moindre démarche administrative est compliquée. Pas seulement en Paragonie, mais dans toute l'Amérique latine. Vous possédez un extrait de naissance, m'avez-vous dit, et j'ai une relation bien placée qui pourrait nous aider. Il m'a déjà rendu des services dans le passé. Nous avons une filiale à une trentaine de kilomètre d'ici, d'où je peux retirer des fonds. J'ai pensé à un moyen de vous tirer d'affaire, seulement il faudrait...

Il hésita tandis qu'elle restait suspendue à ses lèvres. Finalement, il se lança :

— Il n'y a qu'un seul moyen d'arriver à une solution en moins de deux ou trois mois. Il nous faut nous marier.

Elle ouvrit la bouche, toute promesse oubliée, mais il ne lui laissa pas le temps de l'interrompre.

— Non, écoutez-moi jusqu'au bout. Il ne s'agirait que d'un mariage de circonstance. Dès que nous serions arrivés en Angleterre, nous le ferions annuler. Je reprendrais alors l'avion pour terminer ce que j'ai entrepris ici. De cette manière, vous seriez à l'abri en Angleterre, comme vous le désiriez et je pourrais continuer ma mission en Paragonie, seul, comme j'en ai toujours eu l'intention. Je ne conçois plus de voyager longtemps en votre compagnie après ce qui a failli se passer entre nous. J'ai imaginé cette solution pendant que je prenais une douche froide. Il n'y a pas de meilleure solution pour s'éclaircir l'esprit qu'une douche glacée ! Je pourrais voir mon ami aujourd'hui même et tout arranger en quelques jours. Maintenant, à vous. Qu'en pensez-vous ?

— Mais je ne peux pas vous épouser ! murmura-t-elle en pensant à la lettre bleue qui lui était tombée sous les yeux. Vous ne devez pas faire ce sacrifice. De plus, j'avais cru comprendre que vous touchiez au but.

— Cela peut attendre quelques semaines. L'idée d'un mariage avec moi, même si ce n'est qu'un mariage blanc, vous répugne-t-elle donc à ce point ?

Elle réussit à sourire. Si seulement il connaissait ses véritables sentiments...

— Mais non, bien sûr que non, mais je ne puis accepter. Qu'en penseraient les gens ?

— Personne n'en saura rien. Rien ne nous oblige à en parler à qui que ce soit.

— Evidemment... Je ne sais comment vous remercier...

La voix de Janna se brisa et elle ne put continuer. Il s'agenouilla devant elle.

— N'essayez pas. Quand nous arriverons en Angleterre, je vous conduirai chez ma mère. Vous pourrez y habiter pendant que vous chercherez les traces de votre parenté. Pendant ce temps, un ami avocat, qui sait être discret, s'occupera de l'annulation de notre mariage.

— Pourquoi faites-vous cela pour moi?

— Parce que vous avez eu pitié de moi quand vous avez pensé que je mourais de faim!

Elle éclata de rire. Il se leva et lui tendit les mains pour l'aider.

— Allons prendre le petit déjeuner. Ensuite, je vous laisserai dans un grand magasin pour que vous achetiez quelques robes pendant que j'irai prendre des dispositions avec Luis.

Il lui posa un léger baiser sur le front, totalement différent des précédents, et ils quittèrent leur chambre.

Cette nuit-là, Luke dormit par terre, sur une couverture. Janna écouta longuement sa respiration avant de s'endormir à son tour. Ils devaient se marier dans trois jours, un dimanche. D'ici une semaine, elle serait en Angleterre. Elle avait dû se pincer pour s'assurer qu'elle ne rêvait pas.

Pendant le dîner, il lui avait parlé de Courthill, sa maison familiale, où elle habiterait en attendant de retrouver sa famille, pour autant qu'il en existât encore une. Elle se demandait comment il expliquerait sa présence, d'autant plus qu'il ne pourrait épouser sa fiancée avant que leur mariage ne soit annulé. Janna souhaitait n'avoir jamais vu la lettre qui lui avait appris son existence...

Le lendemain matin, ils allèrent faire des courses. Luke lui acheta une alliance en or qu'elle porterait jusqu'à leur arrivée en Angleterre. Ensuite, quand ils se sépareraient, elle la suspendrait à son cou, avec le crucifix de frère Marcus. Il lui resterait au moins ce souvenir.

Leur mariage était fixé pour le surlendemain, dans une petite église proche de l'hôtel. Il s'agirait d'une cérémonie selon le rite catholique, car il n'existait pas d'église réformée à Rio de Oro. Les témoins seraient Luis et sa femme. Il n'y aurait pas d'autre invité que leur fils pour le repas qui aurait lieu ensuite dans un hôtel proche, appartenant à un ami de Luis. Janna soupçonnait que ce mariage hâtif, qui lui permettait d'obtenir un passeport, avait dû coûter fort cher à Luke. Elle s'était rendu compte qu'il dépensait sans compter, mais elle ne devait découvrir à quel point il était riche qu'après leur retour en Angleterre.

Depuis que le mariage avait été décidé, toute tension entre Janna et Luke avait disparu. Durant toute sa vie, elle lui serait reconnaissante de son geste. Et durant toute sa vie, elle continuerait à l'aimer, sans qu'il en sache jamais rien, car elle ne pouvait faire partie de son existence. Luke était un homme merveilleux, solide, beau, généreux, doué d'une abnégation extraordinaire. Elle espérait que celle qui prétendait l'aimer en était aussi consciente qu'elle-même. Peut-être même serait-elle amenée à la rencontrer...

Dimanche, jour de son mariage, Janna s'éveilla heureuse, ce qui était ridicule puisqu'il ne s'agissait pas d'un vrai mariage. Mais pendant quelques semaines, elle serait légalement unie à l'homme qu'elle aimait. Eux seuls connaîtraient la vraie nature de leur union. Et quand elle serait présentée à la mère de Luke, elle ne serait qu'une orpheline qui avait besoin d'aide. Celle-ci ne saurait jamais que Janna était, en théorie, sa belle-fille...

La cérémonie fut simple et émouvante. En signant le registre, elle apprit son nouveau nom : Luke lui avait confié que Tallon n'était pas son vrai nom, mais il avait tout simplement oublié de lui dire quel était le vrai.

— Quel effet cela vous fait-il ? questionna-t-il.

— D'être madame Hayes-Ross ? Très agréable !

— Alors, allons rejoindre nos invités.

Luis Domingo et sa femme, Eva, tous deux paragoniens, étaient des gens charmants. De haute taille, et doués d'une distinction naturelle, ils avaient six enfants. Deux étaient à l'université, trois s'étaient déjà mariés et le dernier, un fils, habitait encore avec eux, lui apprit Luke. Grâce à eux, le repas qui suivit la cérémonie fut très animé. Eva Domingo mit à profit un moment où les hommes s'étaient éloignés pour interroger Janna.

— Vous faites une jeune mariée délicieuse et je suis très heureuse d'avoir fait votre connaissance. Si j'ai bien compris, vous prenez l'avion avec Luke mercredi prochain pour l'Angleterre ?

— Oui, répondit Janna en souriant.

— Pas de voyage de noces, alors ?

— Pas immédiatement. Nous resterons à l'hôtel Negresco jusqu'à notre départ.

— Vous ne pouvez pas passer votre nuit de noces dans un tel endroit !

Janna avait compris que ni Eva, ni son mari, ne savaient que leur mariage n'était que de circonstance.

— C'est impossible ! Venez vous installer chez nous jusqu'à votre départ. J'y tiens absolument.

Les hommes revenaient vers elles en riant.

— Luis, nous ne pouvons pas laisser ces enfants au Negresco. Il faut qu'ils viennent chez nous.

Elle offrit un grand sourire à Janna et lui confia en baissant la voix :

— Notre maison est vaste et nous avons une grande chambre pour les invités, parfaitement isolée des autres.

— C'est très aimable à vous, Eva, intervint Luke, mais je ne voudrais pour rien au monde vous déranger.

— Vous ne nous dérangez pas. C'est décidé : vous

les hommes, allez chercher les bagages pendant que nous prenons encore un peu de champagne. Et je vais organiser une petite réception ce soir.

Luis s'empara du bras de Luke et lui confia en faisant une grimace :

— Comme je tiens à la paix dans mon ménage, je ne m'oppose jamais aux décisions d'Eva.

Celle-ci appela un garçon et lui demanda d'apporter un téléphone. Janna lui posa une main sur le bras.

— Ne prenez pas toute cette peine, je vous en supplie.

Eva éclata de rire et déclara :

— Pas du tout, j'adore les réceptions et je saisis toutes les occasions d'en organiser.

Au moment où les hommes revinrent, Janna avait renoncé à compter le nombre de coups de téléphone donnés par sa compagne. Elle jeta un coup d'œil désespéré à Luke qui eut un geste d'impuisance.

— J'ai tout arrangé, annonça Eva. Maintenant, il est temps de rentrer.

Luke installa Janna dans la Land Rover, se mit au volant et suivit la Mercedes de Luis.

— Je la laisserai chez les Domingo jusqu'à mon retour.

— Pourquoi prendrais-je l'avion pour l'Angleterre mercredi ? Laissez-moi aller avec vous à la recherche de Cordilla.

— Non, c'est impossible.

— Mais j'ai peur.

— Il n'y a aucune raison d'avoir peur, vous serez chez ma mère.

— Vous m'avez mal comprise, j'ai peur pour vous.

— Je suis profondément touché, Janna, mais je n'ai pas entrepris cette expédition pour renoncer à la dernière minute. Voyez-vous, Cordilla n'habite qu'à deux jours d'ici.

— Vous le saviez déjà quand nous nous sommes rencontrés, n'est-ce pas ?

— C'est vrai.

— Si vous n'aviez pas découvert que j'étais une femme, vous seriez déjà sur place !

— Exactement.

— Et au lieu de cela...

— Je vous ai épousée. Quelle différence ! ajouta-t-il en riant.

— Il n'y a pas de quoi rire.

— Je ne me moquais pas de vous. Je voulais seulement vous faire remarquer que j'ai seulement retardé mon expédition afin de vous permettre de regagner l'Angleterre.

— Mais comment allez-vous procéder ?

— J'ai une lettre de recommandation d'un célèbre philatéliste londonien, au nom de Luke Tallon. C'est bien entendu un faux, mais quand il s'en apercevra, ce sera trop tard. J'ai apporté quelques timbres rares, il ne saura pas y résister. J'ai aussi une copie parfaite de *mon* timbre triangulaire ; il ne la verra qu'après la substitution que je compte effectuer.

— Mais vous prétendiez ne pas avoir de plan défini !

— Je ne vous connaissais pas assez, mais je n'ai jamais eu aucun doute sur la manière de m'y prendre.

— Emmenez-moi avec vous. Un mari et sa femme éveilleront moins sa méfiance, et puisque nous sommes mariés... De plus, je pourrais le distraire au moment critique.

— Pourtant vous n'étiez pas d'accord, vous ne compreniez pas mon entreprise pour un vulgaire timbre poste.

— J'ai changé d'avis. Laissez-moi vous aider, s'il vous plaît, Luke, supplia-t-elle en lui posant une main sur le bras.

— Nous en reparlerons demain, après cette maudite réception. Je vous le promets.

Ils pénétrèrent derrière la Mercedes dans une longue allée bordée d'arbres. Derrière eux, un serviteur referma le portail de la propriété. Ils s'arrêtèrent devant une grande maison blanche, largement illuminée et entourée de massifs de fleurs exotiques. Jamais Janna n'avait imaginé qu'une demeure aussi somptueuse pût exister.

— Bienvenue chez nous, dit Eva en ouvrant la porte de la Land Rover et en aidant Janna à descendre.

— Je trouve votre maison merveilleuse.

— Je suis heureuse qu'elle vous plaise.

Les portes furent ouvertes par une femme d'allure sévère, toute de noir vêtue. Señora Domingo l'informa que Mme Hayes-Ross et son mari seraient leurs hôtes pendant quelques jours et qu'ils occuperaient la chambre rose. Elle lui ordonna d'y faire porter immédiatement des fleurs.

— Passons au salon, Janna.

Elles traversèrent un grand hall dallé de marbre noir, tapissé de soie blanche et égayé par une multitude de fleurs. Quand elle pénétra dans le salon, Janna eut le souffle coupé par le luxe de la pièce, décorée en blanc et or. Elle remarqua trois magnifiques tapis persans et s'enfonça dans un fauteuil de cuir fauve profond comme une baignoire.

Janna avait toujours vécu simplement. Elle avait jusqu'à ce moment été heureuse de son sort car elle ignorait qu'il existât un genre de vie semblable à celui des riches amis paragoniens de Luke. Un serviteur en veste blanche parut et Eva lui demanda d'apporter du champagne. Alors qu'il allait se retirer, elle le rappela.

— A propos, Alberto, j'ai prévu une petite réception ce soir. Nous serons une cinquantaine. Faites le nécessaire, je vous prie.

Quand Janna se retrouva seule avec Luke, un peu plus tard, elle s'étonna qu'il soit possible d'organiser une telle réception d'un instant à l'autre. Il lui répondit en souriant :

— C'est ainsi que cela se passe ici. Eva n'a qu'à donner un ordre et aussitôt une quinzaine de serviteurs se mettent à la tâche.

La chambre préparée pour eux pendant qu'ils buvaient du champagne n'était pas moins luxueuse que le salon. La couleur rose dominait, les meubles auraient fait le bonheur d'un antiquaire. Sur une table, entre les deux grandes fenêtres, un énorme bouquet de fleurs exotiques rappelait qu'on était loin de l'Europe, et contre le mur du fond trônait un immense lit à colonnes.

— Janna, il faut vous préparer. Je vous suggère de mettre la robe blanche que je vous ai achetée.

— Mais vous m'aviez dit que c'était pour l'Angleterre.

— Je ne prévoyais pas alors cette réception. Je vous prie de bien vouloir m'en excuser, mais il n'y a pas eu moyen de l'éviter. Heureusement, nous ne serons pas obligés de rester très longtemps. Tout le monde s'attendra à ce que l'on s'éclipse discrètement.

Il la regardait, un sourire narquois au coin des lèvres. Janna, rouge de confusion, détourna les yeux.

— Je vais prendre une douche et m'habiller. Vous avez raison, la robe blanche ne sera pas de trop dans ce cadre.

La salle de bains attenante à leur chambre était entièrement carrelée de rose. La baignoire et les lavabos, roses bien sûr, comme l'épaisse moquette ; les robinets et les différents accessoires étaient en or massif.

— Luke, venez voir ça !

Il la rejoignit et se plaça derrière elle en riant.

— On pourrait difficilement imaginer plus somptueux !

Elle se retourna vers lui, les yeux brillants d'excitation.

— Jamais, je n'ai vu chose pareille. *Jamais*.

Il l'observa de manière étrange et elle sentit une bouffée de chaleur l'envahir. Il se détourna aussitôt et sortit. Janna avait le cœur battant : pendant un moment absurde, elle avait eu l'envie qu'il l'embrasse et elle avait cru qu'il allait le faire. Lentement, elle ferma la porte.

Eût-elle été préparée depuis des semaines, la réception improvisée par Eva, n'aurait pu être plus réussie. Les premiers invités arrivèrent vers dix heures, les derniers après minuit. Tout le monde témoigna un grand respect à la jeune mariée, et Luke fut traité comme un souverain étranger en visite. Janna se rendit compte au cours de la soirée, que son mari provisoire s'intégrait parfaitement dans ce groupe social rassemblant la société la plus riche de Paragonie. Comment avait-il pu décider de l'aider comme il le faisait alors qu'il n'avait aucune obligation à son égard ? Elle se rappelait que le frère Marcus avait estimé que Luke était un homme bon. Elle en était aussi persuadée, Luke était bon, mais il appartenait, le cadre lui en avait fait prendre conscience, à un monde entièrement étranger au sien.

— *Señora*, vous êtes l'héroïne de la soirée et vous choisissez de vous isoler dans ce coin. Comment votre époux peut-il le tolérer ? Je me suis permis de vous apporter une coupe de champagne.

Janna remercia l'inconnu en souriant, son humeur joyeuse retrouvée.

Un peu plus tard, les invités se mirent à danser. Il était près de trois heures du matin quand elle se retrouva dans les bras de Luke pour une valse.

— Tous ces gens sont charmants, mais je suis horriblement fatiguée.

— Moi aussi. Tâchez de partir sans vous faire remarquer. Je vais me mettre à la recherche d'Eva et de Luis pour leur présenter nos excuses. Je sais qu'ils ne nous en voudront pas. Je vous rejoins dans un quart d'heure.

Il lui posa un baiser sur le front et se perdit dans la foule des invités. Janna parcourut le long couloir sans rencontrer personne. Leur chambre à coucher était bien, comme Eva l'avait promis, isolée du reste de la maison. On n'entendait plus la musique. Rien ne pourrait l'empêcher de dormir car les voitures des invités se trouvaient de l'autre côté de l'entrée, tandis que la chambre rose donnait sur les jardins et la piscine.

La nuit était chaude. Janna se rafraîchit puis enfila une chemise de nuit bleu pâle et se mit au lit. Il avait été convenu entre eux que Luke passerait la nuit sur le canapé. Quelques minutes plus tard, on frappa à la porte.

— Janna, êtes-vous couchée ?

— Oui, entrez !

Luke entra, referma la porte, desserra sa cravate, enleva sa veste et retira ses chaussures.

— Je suis épuisé, dit-il en s'asseyant au bord du lit et en se grattant le bras. Ma blessure me fait mal de nouveau.

Dans l'excitation de la soirée, Janna avait complètement oublié le pansement de Luke.

— Désirez-vous que je le refasse maintenant ?

— Si vous vouliez bien. Les points de suture me font souffrir. Il faisait si chaud, même avec le conditionnement d'air poussé à fond.

Elle sauta du lit, passa un négligé et alla chercher la boîte à pharmacie.

— Enlevez votre chemise. Prenez d'abord une douche froide, cela vous calmera, conseilla-t-elle en s'asseyant à côté de lui.

— Etes-vous grise ?

Elle le regarda, surprise.

— Pas du tout. Je n'ai bu que du jus de fruits toute la soirée. J'avais bu assez de champagne auparavant. Souvenez-vous, je n'ai pas l'habitude de l'alcool.

Il fit une petite grimace.

— Vous avez bien fait. Moi je vais avoir un épouvantable mal de tête demain. Non, nous sommes déjà demain, je veux dire quand je me réveillerai.

— Vous l'aurez mérité !

— Me feriez-vous des reproches ?

— Pas du tout, dit-elle en riant, j'ai des aspirines, en désirez-vous ?

— Cela ne pourra pas me faire de mal.

Il se frotta les tempes et poussa un énorme bâillement. Elle lui apporta deux aspirines et un verre d'eau minérale que la femme de chambre avait déposé à leur intention. Il aurait été imprudent de consommer de l'eau du robinet. Janna le regarda boire avec attendrissement. Il avait bu du champagne toute la nuit, et en quantité, car tout le monde avait voulu trinquer avec le jeune marié.

— Ecoutez-moi, vous n'êtes pas en état de dormir sur le canapé. Je vais m'y installer et vous laisser la jouissance du lit. Pour moi c'est facile, je dois peser moitié moins que vous.

— Combien à peu près ?

— Cinquante-quatre kilos.

— Vous n'êtes pas loin du compte, s'amusa-t-il. Mais je vous fais remarquer, madame, que je suis beaucoup plus grand que vous.

— Je l'avais remarqué. Combien mesurez-vous ?

— Presque deux mètres, et vous n'êtes qu'une puce. Non, je me trompe. En vérité, vous êtes plutôt grande pour une femme.

— Les Anglaises ne sont-elles pas généralement assez grandes ?

— Un mètre soixante-cinq en moyenne. Mais vous

devez faire un mètre soixante-quinze environ. C'est à peu près la stature de ma mère.

Il poussa un grand soupir et ajouta :

— Vous l'aimerez beaucoup.

— Parlez-moi d'elle.

— Pas maintenant, dit-il en bâillant, je suis trop fatigué.

Quand il revint de la salle de bains, vêtu de son seul pantalon de pyjama, elle lui refit son pansement puis lui ordonna d'une voix autoritaire :

— Maintenant, au lit.

— Je ne sais pas...

— Pas de discussion : au lit !

— Attendez ! J'ai une idée. Je ne sais pas comment vous expliquer. L'un de nous pourrait dormir sur un drap et l'autre sur l'autre, et réciproquement.

— Je ne comprends rien à ce que vous essayez de dire.

— Comme cela, je vais vous montrer.

Il la fit étendre dans le lit, rabattit le drap et la couverture, puis passa de l'autre côté et se glissa entre le drap du dessus et la couverture.

— Vous voyez, c'est simple et il n'y a pas de danger.

— Je vois en effet, remarqua-t-elle en riant.

— Maintenant je vais dormir.

Il lui tourna le dos et sombra presque aussitôt dans le sommeil. Elle éteignit la lumière. Elle était avec lui sans l'être tout à fait. Le procédé était si simple qu'elle se demanda comment ils n'y avaient pas pensé plus tôt. Sur cette réflexion, elle s'endormit à son tour.

Janna se réveilla avec une sensation d'étouffement. Luke s'était retourné pendant son sommeil et il était partiellement étendu sur elle. Elle réussit à tirer un peu le drap qui la serrait et se rendormit aussitôt en reprenant un rêve rose.

6

Le mouvement que fit Luke en s'éveillant tira Janna du sommeil.

— Bonjour !

— Bonjour ! Comment va votre mal de tête ?

— Je ne veux pas entendre ces mots.

Janna, la tête calée dans l'oreiller, le regardait avec des yeux encore embués de sommeil. La tête de Luke n'était qu'à quelques centimètres de la sienne.

— Bon, alors, comment allez-vous ?

— Mal. Savez-vous que vous avez des taches de rousseur ?

— Oui, je l'avais déjà remarqué.

Son bras gauche était posé sur elle, mais il ne semblait pas s'en apercevoir. Il était glissé sous la couverture, mais sur le drap qui le recouvrait et sur lequel il était couché.

— Nous devrions dormir plus souvent en utilisant cette combinaison, remarqua-t-elle.

— Oui, dit-il en secouant la tête. Aïe ! Je n'aurais pas dû faire cela.

— Voulez-vous une aspirine ?

— Non, pas tout de suite. Je ne veux pas remuer. Je me sens parfaitement bien ainsi.

— Vous n'en avez pourtant pas l'air.

Il passa son bras droit sous le cou de Janna. Sa tête touchait maintenant la sienne.

— Est-ce mieux ainsi ?

Son bras gauche était toujours étendu sur elle, mais de sa main droite il lui caressait l'oreille.

— Vous avez de ravissantes oreilles, Janna.

— Je suis heureuse qu'elles vous plaisent !

Il inclina la tête de quelques centimètres et lui posa un léger baiser sur les lèvres.

— Et une très jolie bouche.

Elle avait le souffle court, mais cette fois, la pression du drap n'y était pour rien.

— Luke, dit-elle sans beaucoup de conviction, je ne pense pas que vous devriez...

— Il est matériellement impossible que je me montre trop tendre avec vous, murmura-t-il dans son oreille, le drap est une barrière efficace et quoi qu'il en soit, cela me serait impossible.

— Et pourquoi donc ?

Elle se rendit aussitôt compte de la portée de sa question et se hâta d'ajouter :

— Ce n'est pas que je tienne particulièrement à le savoir, mais...

— Parce que j'ai un tambour dans le crâne.

— Mon pauvre ami.

Elle sortit une main, la posa derrière la tête de Luke et commença à lui masser doucement la nuque. Il gémit, mais c'était davantage l'expression de la satisfaction.

— Continuez.

— C'est bien mon intention.

Avec son autre main, aussi douce, elle lui caressa lentement les épaules. Ses muscles se raidirent sous ses doigts.

— Détendez-vous et laissez-moi faire. Votre mal de tête va disparaître, vous allez voir.

Il se plaça dans une position plus confortable et

s'abandonna à son massage. Jamais Janna n'avait été plus heureuse. Elle savait qu'elle l'aidait à avoir moins mal et le sentait déjà se détendre.

— Vous devriez être masseuse, vous avez des mains miraculeuses, murmura-t-il à moitié endormi.

Peu à peu, elle étendit son léger massage à tout le dos de Luke qui ne put réprimer un gémissement de plaisir ! D'un geste machinal — elle était certaine qu'il n'en était pas conscient — il lui caressa doucement les cheveux, puis la nuque, les épaules... Elle hésita un moment mais continua de lui masser le dos. La main de Luke se fit plus insistante. Janna avait la respiration courte, mais elle n'osait arrêter son mouvement, de peur de trahir son trouble.

Alors il s'approcha encore et il posa ses lèvres contre l'oreille de la jeune fille. Au contact de ce souffle chaud, elle tressaillit ; un long frisson lui parcourut la colonne vertébrale et elle ferma les yeux. Déjà, il avait trouvé le chemin de sa bouche. Ils perdirent la notion du temps pendant que leur baiser devenait de plus en plus brûlant. Janna crut défaillir quand les mains de Luke s'égarèrent sur son corps.

— Janna, mon Dieu...

— Luke... Luke, je... murmura-t-elle avant d'être interrompue par un nouveau baiser.

— Non, dit-il encore. Mon Dieu, je ne dois pas... Vous devez être en sécurité avec moi.

Mais elle se pressa contre lui de toute sa force et ils restèrent un moment enlacés, embrasés par le désir qui les consumait l'un et l'autre.

— Je vous en prie, laissez-moi... Janna, laissez-moi. Il ne faut pas...

— Non ! cria-t-elle en lui enfonçant les ongles dans le dos.

— Seigneur, aidez-moi...

Il s'écarta d'elle, luttant désespérément pour retrouver le contrôle de lui-même, faisant de grands efforts pour retrouver son souffle.

— Non, Janna. Je vous avais promis...

Impulsivement, elle saisit sa main pour le retenir et posa ses lèvres brûlantes sur sa paume. Et, brusquement, elle s'étendit sur lui, l'étreignant vigoureusement. Elle l'entendit gémir, et sut qu'il n'avait plus l'énergie de combattre le désir qu'elle lui inspirait. Alors elle comprit qu'il était à sa merci. Mais tout à coup, dans un ultime effort de volonté, Luke s'arracha à elle et sauta hors du lit. Il alla immédiatement s'appuyer à la fenêtre, pantelant, le front contre la vitre.

Une bouffée de haine submergea alors Janna qui le suivit, aveuglée par les larmes, et, sans savoir ce qu'elle faisait, elle se mit à lui marteler le dos de coups de poing. Il se retourna brusquement et lui enserra les mains dans l'étau des siennes.

— Arrêtez, je vous en supplie !

D'un geste violent, elle se dégagea et le gifla de toutes ses forces. Hors d'haleine, ayant totalement perdu le contrôle d'elle-même, elle lui jeta au visage d'une voix hystérique :

— Je vous hais, vous n'êtes pas un homme ! Vous m'entendez, vous n'êtes pas un homme !

Et elle se mit à rire nerveusement, sans pouvoir s'arrêter. Au milieu du rire et des pleurs, elle répéta :

— Vous n'êtes pas un homme !

Elle vit au changement d'expression de Luke qu'elle était allée trop loin. Soudain, elle eut peur et sentit ses jambes fléchir sous elle. D'une main, il la retint et de l'autre, il déchira sa chemise de nuit d'un coup sec. Et il la jeta sur le lit.

Trop tard, elle comprit qu'elle avait déchaîné en lui une passion à laquelle ni lui ni elle ne pouvaient plus s'opposer. Leur étreinte fut violente et douce à la fois, mais terriblement ardente...

Plus tard, ils restèrent étendus l'un à côté de l'autre, parfaitement silencieux, pendant un long moment. Janna, qui avait pleuré toutes les larmes de son corps, sentit la main de Luke se poser doucement sur son visage.

— Pourrez-vous jamais me pardonner? demanda-t-il d'une voix suppliante.

— Je vous ai provoqué. C'est *moi* qui vous demande pardon.

— Janna, ne me regardez pas comme cela. Vous ne pouvez comprendre ce que je ressens.

— N'en faites pas un drame, je survivrai.

Elle se rendait compte qu'elle était la plus forte, que c'était à elle de le réconforter. D'un geste tendre, elle l'attira à elle. Il posa sa tête sur la poitrine de Janna qui lui caressa lentement le visage. Mais elle ne pouvait retenir ses sanglots.

— Ne pleurez pas.

— Je ne peux m'en empêcher.

Elle tremblait maintenant autant que lui, submergée par le désespoir. Alors il la prit dans ses bras et la berça comme une enfant. C'était à lui, redevenu le plus fort, de la réconforter. Après quelques minutes, Janna se calma et s'abandonna dans ses bras. Il la caressa longuement d'une main de velours puis l'embrassa doucement. Janna découvrait la tendresse.

Insensiblement, les caresses et les baisers de Luke devinrent moins apaisants. Leurs regards se rencontrèrent pour rester rivés l'un à l'autre durant de longues minutes. Alors, il se pencha à nouveau pour l'embrasser, puis il l'entraîna graduellement, savamment, sans aucune hâte, jusqu'à l'embrasement total. Après la violence et la tendresse, Janna découvrit les premiers secrets de l'amour.

Peu avant midi, personne n'était encore venu les déranger. Ils s'habillaient. Janna, assise au bord du lit, enfilait ses sandales pendant que Luke, debout près de la fenêtre, boutonnait sa chemise.

— Je ne peux rien faire pour revenir en arrière, Janna, mais je voudrais que tu saches que je n'avais pas prémédité ce qui s'est passé.

— Je le sais, Luke. Je suis aussi responsable que toi. Cela ne change rien entre nous, je t'assure.

— Ce n'est pas si simple. On ne peut plus annuler notre mariage.

— Personne n'en saura rien, je le promets solennellement. Tu comprends, quand nous serons en Angleterre, je redeviendrai Janna Thorne. Cet... interlude sera oublié.

Elle hésita un instant puis continua d'une voix véhémente :

— Je sais que je n'appartiens pas à ton monde. Je vais retrouver ma famille — tu as ta vie à mener et je mènerai la mienne. Un jour, je trouverai le moyen de te rendre tout ce que je te dois. Sans toi, il m'aurait fallu des années pour atteindre l'Angleterre. Je ne l'oublierai jamais.

— Tu ne me dois rien et tu ne comprends pas ce que je veux dire. Janna, le premier n'aurait pas dû être moi.

— Peut-être, mais ce fut toi. Cela ne m'attriste pas, il serait faux de prétendre le contraire. Peut-être trouves-tu cela anormal, mais je ne ressens aucune honte. Tu as ma parole que ta fiancée ignorera tout.

— Ma fiancée ?

— Une lettre est tombée de ta valise et je n'ai pas résisté à en lire un paragraphe.

— Mon Dieu !

— J'ai eu tort, je le sais. Vous prévoyez de vous marier bientôt, si j'ai bien compris.

— C'était notre intention, mais pour des raisons évidentes, ce mariage devra être retardé.

— Je sais, et je m'en sens d'autant plus coupable. Tu as fait tout cela pour moi. Je me demande comment je réussirai un jour à m'acquitter de ma dette. Elle est belle ? questionna-t-elle, en parvenant à sourire.

— Oui.

— De quoi a-t-elle l'air ? Vais-je la rencontrer ?

— Réponse à ta seconde question : oui, probablement. A la première : elle est aussi blonde que tu es brune, elle est grande, aussi grande que toi, mince, très séduisante et elle s'appelle Annabel. Je la connais depuis toujours, elle a vingt-neuf ans.

— Ne va-t-elle pas s'inquiéter de ma présence ?

— Elle n'est pas jalouse. Je trouverai bien quelque chose à lui raconter.

« Elle n'est pas jalouse, mais je le suis », constatait Janna avec désespoir. « Je ne l'ai jamais vue et déjà, je la déteste ; elle vaut sûrement mieux que moi ! » avait-elle envie de crier. Elle sentait son cœur se tordre de douleur. Pendant une heure, Luke lui avait complètement appartenu, et l'amour qu'il lui inspirait avait grandi à un tel point qu'il lui déchirait la poitrine.

Janna n'avait aucune illusion sur la qualité de l'amour que Luke lui avait témoigné. Elle avait assez lu pour savoir comment réagissaient les hommes. Il avait été pris d'un ardent désir de la posséder, mais ce n'était là rien d'autre qu'une réaction animale à la manière, incompréhensible, dont elle l'avait provoqué. Le pire était qu'elle se savait prête à recommencer. « L'autre l'aura pour la vie entière », se disait-elle en guise d'excuse, « moi, je ne l'aurai plus que pour quelques jours. »

Elle prit son sac et le suivit hors de la chambre. L'un et l'autre mouraient de faim et ils se mirent à la recherche d'un petit déjeuner tardif.

Plus tard dans l'après-midi, Eva fit cadeau à Janna d'un bikini tout neuf, en prétendant qu'il ne lui allait plus. Janna se demandait si Eva n'avait pas trouvé ainsi le moyen de le lui offrir sans en avoir l'air. Elle n'avait jamais encore porté de bikini et se précipita dans leur chambre pour l'essayer. Debout devant son miroir, elle se demandait si elle aurait l'audace de se rendre à la piscine vêtue de ces minuscules morceaux de soie. La porte de la chambre s'ouvrit et elle entendit un sifflement d'admiration. Janna releva le menton, consciente qu'il ne pourrait détacher les yeux de ses formes séduisantes. Ils n'étaient pas encore en Angleterre et elle avait décidé que, jusqu'à ce moment, Luke lui appartiendrait.

— J'ignorais que de tels accoutrements existaient.

— Tu as beaucoup à apprendre.

Elle traversa la pièce, se mit sur la pointe des pieds pour pouvoir nouer ses bras autour de son cou et l'embrassa sensuellement.

— Qu'ai-je fait pour mériter cela?

— C'est pour te remercier de m'avoir trouvée, répondit-elle, les yeux brillants.

— Ma chère enfant, ne me remercie pas, cela n'est pas nécessaire.

— Mais je désire le faire.

Il dénoua gentiment les mains de Janna et les prit dans les siennes.

— Tu es si jeune et si innocente! Et j'ai profité de cette innocence... Quand tu me remercies ainsi, j'ai l'impression d'être un individu malhonnête. Je ferai tout pour retrouver ta famille, je serais trop honteux de ne pas le faire, mais surtout ne me remercie pas.

— J'en avais autant envie que toi, murmura-t-elle. Je suis une femme, plus une enfant, et je sais que lorsque nous arriverons en Angleterre, tout sera fini. Mais tant que nous serons ici, cette nuit, demain, je désire que nous...

— Tu ne sais pas ce que tu dis.

— Je le sais très bien, j'y ai réfléchi. Je sais que tu

appartiens à Annabel. Mais tant que nous sommes ici, je veux être à toi.

Elle plongea ses yeux gris dans les siens et y lut qu'il la désirait — que ce désir fût purement physique ou non. Elle noua ses bras autour de sa taille et appuya sa tête sur sa poitrine. Elle entendit les battements du cœur de Luke s'accélérer et se pressa étroitement contre lui. Il l'enlaça à son tour. Elle leva le visage vers le sien et leurs lèvres se soudèrent. Les mains tremblantes, il dénoua les cordons du bikini.

— C'est de la folie, murmura-t-il, il ne faut pas…

— Tais toi.

Il l'embrassa dans le cou, puis ses lèvres descendirent plus bas pour venir se perdre sur sa gorge. Il la souleva dans ses bras et la porta jusqu'au lit sur lequel il s'étendit avec elle. Lentement, elle défit chacun des boutons de sa chemise, et enfouit ses doigts dans la toison qui recouvrait sa poitrine.

— Arrête, sinon tu vas être punie.

Alors elle le caressa avec une ardeur redoublée et lui demanda de quelle punition il voulait parler. Il le lui souffla dans le creux de l'oreille puis lui en fit une démonstration éblouissante.

Après un déjeuner tardif qu'ils prirent avec Eva, Luke leur annonça qu'il avait rendez-vous avec le directeur d'une de ses filiales installée dans la ville voisine, mais qu'il serait de retour pour le dîner. Janna l'accompagna jusqu'à la Land Rover et vint rejoindre Eva au bord de la piscine. Eva lui sourit puis éclata de rire.

— Pourquoi riez-vous ? demanda Janna en se mettant à rire à son tour.

— Parce que vous me rappelez ma jeunesse, quand j'ai épousé Luis. Mais je n'en dirai pas davantage, ajouta-t-elle avec un soupir, car cela pourrait vous embarrasser.

Eva fit tinter une clochette pour appeler un serviteur.

— Je pense qu'il nous faut du champagne.

— Je ne vous remercierai jamais assez pour votre invitation. Nous sommes merveilleusement bien et vous ne sauriez être plus charmants, Luis et vous.

— Tout le plaisir est pour nous. Chaque fois que vous reviendrez à Rio de Oro avec Luke, vous serez les bienvenus ici.

Quand Luke reviendra, songeait Janna, ce sera avec Annabel. Jamais plus elle ne reverrait cette délicieuse chambre rose. Elle chassa cette pensée désagréable et se promit de jouir sans restriction des dernières heures qu'elle allait passer dans l'intimité de Luke.

Le reste de l'après-midi se passa agréablement et quand Luis revint, Janna alla s'habiller pour le dîner. Elle se demandait ce qui avait bien pu arriver à Luke, mais ne le voyant pas venir, elle finit par rejoindre Eva et Luis au salon. Ils étaient en train de prendre l'apéritif quand enfin il arriva. A peine eut-elle entrevu son visage qu'elle sut que quelque chose n'allait pas. Elle se sentait tellement en communion avec lui qu'elle percevait ses changements d'humeur comme s'il se fut agi d'elle-même. Eva et Luis n'avaient rien remarqué et l'accueillirent joyeusement. Son hôte lui prépara un whisky et peu après ils passèrent à table.

Pendant le reste de la soirée, Luke fut pareil à lui-même, mais Janna savait que son enjouement était feint. Elle ne put l'interroger qu'à minuit, lorsqu'ils se retrouvèrent enfin.

— Que se passe-t-il Luke ? Ne veux-tu pas m'en parler ?

Il la dévisagea avec étonnement et lui fit un pâle sourire.

— Que veux-tu dire ?

— Dès que tu es rentré, j'ai vu que quelque chose n'allait pas. S'il s'agit d'un ennui personnel, je n'insisterai pas. Mais je sais que tu as eu un choc.

— Tu es très perspicace.

« Parce que je t'aime et que ta peine est la mienne », aurait-elle voulu lui crier, mais elle n'en fit rien.

— Je vais te raconter, annonça-t-il en lui caressant la joue. D'ailleurs cela te fera plaisir.

— Pas si cela te rend malheureux.

— Ce sera pourtant le cas. Mais j'ai trop soif, je voudrais d'abord boire quelque chose.

— Moi aussi. Que désires-tu ?

— Je m'en occupe. Attends-moi.

Quelques minutes plus tard, il était de retour avec une bouteille de champagne et deux coupes. Janna le regardait avec appréhension pendant qu'il ouvrait la bouteille et remplissait les coupes. Comment ses ennuis pourraient-ils lui faire plaisir ? Elle vida son verre pour se donner du courage et s'assit à côté de lui au bord du lit.

— Je suis allé à notre usine cet après-midi.

— Je sais.

— Le directeur m'a communiqué une nouvelle qui m'a causé un choc.

Il s'arrêta pour déguster son champagne.

— Continue, je t'en prie.

— Je lui disais que j'avais l'intention de me rendre bientôt à Sierra Alta, c'est là qu'habite Cordilla, et il se trouve qu'il le connaît. Bien entendu, je ne lui ai pas parlé de lui, mais je lui ai demandé des renseignements sur la région. Il m'a raconté qu'un glissement de terrain avait récemment enseveli une vingtaine de voitures. Les secours ne parvinrent que très tard et il y eut plusieurs blessés. Le plus gravement atteint...

— Cordilla ?

— Oui, il est paralysé et n'en a probablement plus pour longtemps. Quoi qu'il arrive, il ne marchera jamais plus.

— C'est affreux, mais en quoi cela doit-il me faire plaisir ?

— Ce n'est pas ce que je voulais dire. Excuse-moi. Mais tu comprends, pour moi c'est maintenant fini.

— Le timbre-poste, veux-tu dire ?

— Oui, je n'irai pas à Sierra Alta. Récupérer un objet volé est une chose, mais le soustraire à un homme paralysé en est une autre. Non, jamais je ne pourrais le faire.

— Quand nous partirons mercredi, tu ne reviendras pas ici ?

— Non, j'ai laissé la Land Rover à l'usine. Davis, le directeur se chargera de la vendre pour mon compte. C'est lui qui m'a ramené ici.

Janna poussa un immense soupir de soulagement. Elle finit son verre d'un trait et s'empara de la bouteille.

— En désires-tu encore ?

— S'il te plaît.

Elle remplit les deux verres et reposa la bouteille au pied du lit.

— Si tu l'avais su plus tôt, tu ne serais jamais passé par Santa Cruz, n'est-ce pas ?

— Non.

— Eh bien !

— C'est tout ce que tu trouves à dire ?

— Pour le moment, oui. Je suis heureuse que tu ne sois pas obligé de revenir pour cette mission.

Elle lui posa la main sur le bras.

— Mais je comprends ta déception. Tu avais tellement à cœur de reprendre le timbre volé à ton père.

— Pour moi c'est terminé. Je ne regarde jamais en arrière. Je n'ai plus qu'à m'occuper de toi maintenant. Te ramener en Angleterre et trouver ta famille.

Elle finit son verre, se leva, prit le sien et le posa sur la table.

— Je me sens fatiguée, Luke. Pourrions-nous nous mettre au lit ?

— C'est pour cela que nous avons abandonné Eva et

Luis, fit-il remarquer en retirant sa cravate. Je vais prendre une douche, annonça-t-il en se levant. A moins que tu ne veuilles me précéder.

— Il y a pénurie d'eau, j'avais oublié de t'en avertir. On nous a demandé de l'économiser, annonça-t-elle gravement.

Il la dévisagea d'un air interrogateur, puis crut comprendre ce qu'elle insinuait et se mit à rire.

— Vraiment?

Elle fit un signe de tête et, sans cesser de le fixer, retira lentement sa robe et le reste de ses vêtements. Il restait immobile, ne détournant pas les yeux. Quand elle eut fini, elle s'approcha de lui et défit la boucle de sa ceinture.

— Ton bras te fait encore mal, il faut que je t'aide.

Elle acheva de le déshabiller, le prit par la main et l'entraîna sous la douche. Elle le savonna, tandis qu'il maintenait son bras blessé à l'abri de l'eau.

— Je m'en occuperai tout à l'heure, précisa-t-elle avant de se laver elle-même.

Puis elle ferma les robinets, prit une serviette et s'agenouilla pour lui sécher les pieds. Elle fit de même avec les siens, le reprit par la main, revint dans la chambre et lui frotta tout le corps avec un drap de bain jusqu'à ce qu'il fût complètement sec. Il la regarda et elle vit dans ses yeux la confirmation de ce qu'elle savait déjà.

— S'il te plaît, sèche moi le dos, murmura-t-elle en lui adressant un sourire séducteur.

Il lui obéit et après quelques minutes, il ne put contenir davantage son désir.

— Janna, il ne faut pas, tu sais bien...

Le drap de bain tomba sur le tapis et il lui tendit les bras, son geste démentant ses paroles.

— C'est pure folie, dit-il encore.

— Oui, pure folie, répondit-elle en se blottissant contre lui.

— Je te désire tellement… mais c'est dangereux.

— Dangereux ? Non, puisque nous savons que cela ne durera pas. Dès que nous serons en Angleterre, tout sera fini.

— S'il n'y avait que cela ! mais je pourrais te faire un enfant… et tu n'es guère toi-même qu'une enfant.

Avoir un enfant de lui ! A cette pensée, son désir s'enflamma et elle s'accrocha à lui, murmurant son prénom, le répétant et le répétant encore.

Il la souleva dans ses bras et se laissa choir sur le lit avec elle.

7

Janna ne souffrait d'aucun remords. Pourquoi en aurait-elle eu puisqu'elle l'aimait des tréfonds de son être. Ils s'étaient étreints avec une telle ardeur plusieurs fois renouvelée qu'elle s'était endormie d'épuisement, blottie entre ses bras. Après quelques heures, elle entrouvrit les yeux et rencontra le regard de Luke, penché sur elle, qui la dévisageait comme s'il avait voulu graver le détail de chacun de ses traits dans sa mémoire. Elle lui adressa un grand sourire et fit entendre un soupir de satisfaction.

— Bonjour, monsieur. Si tu ne dors pas, pourquoi ne m'as-tu pas réveillée ?

— Tu as besoin de sommeil.

Il caressait d'un doigt l'ovale de son visage.

— Et j'étais tellement préoccupé que j'ai à peine dormi.

— Pauvre Luke. Désires-tu que je te masse le dos pour t'aider à t'endormir ? As-tu mal à la tête ?

— Non merci. Tu ne peux rien pour moi. Il faut dormir car il n'est guère que quatre ou cinq heures du matin.

Janna eut une idée qui la fit pouffer de rire.

— Laisse-moi te verser un peu de champagne, cela pourrait peut-être t'assommer.

— Pouah ! du champagne tiède, non merci. Dors, je vais fermer les yeux et me reposer.

— Très bien, comme tu voudras.

Et elle se pelotonna entre ses bras pour sentir la chaleur de sa peau contre la sienne. Sans y penser, elle passa sa main sur le corps musclé de Luke. Elle aimait la texture de sa peau, son visage ferme, sa charpente puissante. Elle aimait tout de lui.

— Tu as un corps d'athlète. Tu es solide et fort, très fort, n'est-ce pas ?

— Oui. Dors maintenant, supplia-t-il d'une voix presque désespérée.

— N'aimes-tu pas quand je te caresse ?

Il y eut un long silence pendant lequel elle continua à sentir sous sa main la douceur de sa peau.

— Qu'en penses-tu ? demanda-t-il d'une voix rauque.

— Je ne sais pas, c'est pourquoi je pose la question.

Elle l'entendit avaler sa salive avec difficulté.

— Bien sûr que j'aime tes caresses. Je les aime même trop. Arrête, s'il te plaît.

Comprenant ce qu'il voulait dire, elle eut un petit rire et se garda bien de lui obéir.

D'une poigne de fer, il saisit soudain sa main pour la forcer à cesser.

— J'ai dit non !

Et il lui mordit un doigt sans brutalité, mais fermement.

— Aïe ! Tu es un sauvage.

Alors elle le pinça de toute sa force. Il se retourna contre elle et l'emprisonna sous lui. Elle se débattit et pendant de longues minutes, ils luttèrent en silence. Le contact de leurs corps les enflammèrent l'un et l'autre peu à peu. Elle lui adressa des mots sans suite et il la fit taire de la manière la plus efficace, par un baiser. Elle ferma les yeux et s'abandonna à lui.

Mercredi matin, ils prirent un avion pour Rio de Janeiro d'où ils s'envolèrent pour l'Europe tard dans la soirée. Ils atterrirent à Heathrow, l'aéroport de Londres, jeudi après-midi.

— Pince-moi pour que je sois sûre de ne pas rêver.

— Janna, c'est la vérité, nous sommes bien en Angleterre. J'ai pensé que nous pourrions passer un jour ou deux à Londres avant d'aller à la maison. Personne n'est au courant de notre arrivée et cela te ferait sans doute plaisir de jouer les touristes.

— J'adorerais cela ! Je ferai tout ce que tu voudras.

Le visage de Janna respirait la joie de vivre et le bonheur d'être enfin en Angleterre. Elle remarqua que Luke avait les yeux fixés sur elle, des yeux sombres et impénétrables. Elle lui toucha le bras.

— Je sais que tout sera fini quand nous arriverons chez toi. Je voulais te dire que je serai toujours là, si jamais un jour... Tu peux avoir confiance en moi.

— J'en suis persuadé, répondit-il d'une voix égale.

Il détourna la tête, mais Janna avait cru surprendre dans son regard un voile de tristesse. Il devait pourtant savoir qu'elle ne pourrait jamais lui causer de la peine. Il l'avait sauvée, il lui avait permis d'arriver jusqu'ici. En plus de l'amour qu'elle lui portait, elle lui devait de la reconnaissance. Certes, Luke aimait Annabel, et elle ne ferait jamais rien pour se dresser entre eux. Jamais elle n'avait envisagé — si ce n'est dans ses rêves, qui devaient rester secrets — qu'elle pût un jour partager sa vie. Mais elle avait vécu une semaine inoubliable. Grâce à lui, elle avait pour meubler la suite de son existence des souvenirs plus riches que beaucoup n'en accumulent durant une vie entière.

— Luke, je t'en prie, ne fais pas cette tête. Tu n'as aucune raison d'avoir l'air malheureux. Bientôt, tu vas retrouver ton Annabel. Est-ce ce misérable timbre qui te préoccupe encore ?

— Je l'avais presque oublié. Comme je te l'ai déjà expliqué, je ne regarde jamais en arrière.

— Moi si ! De ma vie, je n'oublierai cette dernière semaine. Nous n'aurions pu en faire plus, n'est-ce pas ?

Le rouge lui monta aux joues, elle se mordit les lèvres et s'empressa d'enchaîner.

— Je veux dire, quitter Señora Lopez, la mission, notre voyage jusqu'à Rio de Oro, Eva et Luis...

— Je sais. Finis ton café, je vais chercher un taxi.

Luke avait les traits tirés. Il ouvrit un paquet de cigarettes, en prit une et la porta à sa bouche, oubliant de l'allumer.

— Luke ?

— Oui ?

— Tout est fini ! Dans cet hôtel, avant d'aller dans ta famille, nous prendrons deux chambres, n'est-ce pas ?

— Je pense que ce serait préférable. N'es-tu pas de mon avis ?

— Désires-tu une réponse honnête ou que je sois d'accord avec toi ?

Il lui répondit d'un regard sévère. Elle lui sourit et le rassura :

— Ne t'en fais pas. Je plaisantais. Il était convenu que tout serait fini dès notre arrivéee ici, mais quand tu as proposé quelques jours à Londres, j'ai rêvé un instant de quelques jours de sursis et mon cœur s'est empli de joie.

— Sais-tu que tu es une petite fille sans aucune moralité ?

— Oui, je n'en ressens aucune honte.

Il lui posa la main sur le bras en souriant.

— Et ta candeur est rafraîchissante. Je n'ai jamais rencontré quelqu'un d'aussi naturellement franc.

— Pourtant quand nous nous sommes rencontrés, je n'ai pas été franche, tu te souviens ? Je prétendais être un garçon.

— C'était différent. Tu avais besoin de te protéger.

Pour tout le reste, j'entends, tu ne triches pas, tu restes toujours étonnamment toi-même.

— Aurais-je dû feindre ?

— Parfois dans la vie, il est préférable de dissimuler ses vrais sentiments. C'est une recette contre la souffrance.

Janna pensait qu'il avait tort. Elle réussissait, sous une apparence de légèreté, à lui cacher ses vrais sentiments, mais elle en souffrait profondément.

— Je n'imagine pas que quelqu'un puisse te faire souffrir. Tu es trop dur intérieurement.

— Crois-tu ? Peut-être le suis-je en effet. As-tu fini ton café ?

Luke avait choisi un hôtel un peu vieillot, donnant sur une petite place ombragée, à l'abri du fracas de la ville. Il correspondait à l'image que Janna, à travers ses lectures, s'était forgée d'un hôtel de l'époque victorienne. Elle le confia à Luke qui venait d'entrer dans sa chambre, en traversant la salle de bains commune :

— Tu as raison. Mon père descendait souvent ici. Selon lui, c'était un des rares endroits où personne n'avait jamais l'air pressé. Et le petit déjeuner est de tout premier ordre, tu verras. J'ai pensé qu'un coin tranquille au milieu de cette ville turbulente nous permettrait de nous adapter sans heurt à un nouveau genre de vie.

— Tu dépenses tellement d'argent... J'en ai honte. Mais un jour, je trouverai un moyen de te rembourser.

— Tu comptes devenir une riche femme d'affaires, ou bien épouser un millionnaire ?

— Je ne plaisante pas, tu verras.

« Il faudra que je trouve du travail », songeait-elle. Même si elle retrouvait de la famille, elle était décidée à mener une vie indépendante, car elle avait été élevée dans cet esprit. Son père lui avait enseigné à tirer le meilleur parti possible de ses capacités.

— Tu dis probablement vrai, Janna. Tu possèdes une force de caractère peu commune et je suis sûr que tu réussiras dans tout ce que tu décideras d'entreprendre.

— Pourrions-nous faire un tour avant le dîner ?

— C'est exactement ce que j'étais venu te proposer, mais ne te sens-tu pas fatiguée ?

— Non, j'ai dormi dans l'avion. Pas toi ?

— Non, mais théoriquement, nous devrions souffrir du décalage horaire.

— Qu'est-ce que...

— Pas la peine d'en parler puisque tu ne le ressens évidemment pas. Viens, ordonna-t-il en la prenant par le bras.

Ils flânèrent deux heures dans le centre de Londres, admirant les vitrines d'Oxford Street, explorant les petites rues adjacentes. Janna n'en croyait pas ses yeux : jamais elle n'avait imaginé une telle foule et une telle circulation, avec en plus le fait que, pour elle, les automobiles se trouvaient toujours du mauvais côté de la chaussée ; elle faillit d'ailleurs être renversée en traversant une rue.

Ensuite, ils dînèrent tranquillement à l'hôtel. Soudainement, la fatigue fondit sur eux. Luke s'aperçut que Janna était toute pâle.

— Au lit.

— Oui, Luke, tu as raison. Et toi ?

— Je vais prendre un dernier verre au bar et donner quelques coups de téléphone, si tu n'y vois pas d'inconvénient.

— Non, bien entendu. Je vais monter directement.

Elle jeta un regard d'envie sur l'appareil de télévision qu'elle apercevait à travers la porte vitrée d'un petit salon. Jamais elle n'avait vu un programme de télévision et elle était fascinée, mais trop épuisée pour en profiter maintenant. Elle aurait toute la vie pour le faire, après.

— Bonsoir, Luke.

— Bonne nuit, Janna.

Et elle partit d'une démarche orgueilleuse qui fit l'admiration de Luke.

Quelqu'un la secouait en lui disant qu'il était temps de se lever. Elle ouvrit péniblement les yeux. Luke se tenait devant elle, vêtu d'une chemise noire et d'un élégant pantalon gris. Janna, encore plus qu'à moitié endormie, avait l'air complètement ahurie.

— C'est vendredi matin, tu es à Londres, il est neuf heures et quart, ils ne servent plus le petit déjeuner après neuf heures et demie.

— Alors, il faudrait peut-être que je me lève...

— Oui, dépêche-toi. Je meurs de faim. Je t'attendrai en bas en parcourant le journal. Je te donne cinq minutes, pas une de plus.

— Oui, monsieur.

Elle se précipita hors du lit dès que Luke eut franchi la porte, se lava superficiellement à l'eau froide pour se réveiller et enfila une robe d'été couleur canari, simple, mais bien coupée, qui avait coûté une fortune à Rio de Oro. Elle descendit et trouva Luke plongé dans le journal. Elle l'interpella en lui secouant le bras.

— Alors, vieil égoïste, je désire mon petit déjeuner et monsieur ne trouve rien de mieux à faire que de lire le journal !

Un colonel à la retraite leur lança un coup d'œil réprobateur par-dessus le *Times*. Luke la prit par le bras et la conduisit dans la salle du petit déjeuner. « Mon premier petit déjeuner anglais », se disait-elle. Elle pensait à des domestiques en robe noire avec des tabliers blancs bien empesés, des toasts, de la confiture d'orange et d'énormes tasses de thé. C'est ce qu'elle avait lu dans ses livres. La réalité ne fut pas différente, sinon que le petit déjeuner fut beaucoup plus riche : œufs au lard avec tomates grillées, saucisses et champignons sautés, qu'elle dévora sans en laisser une miette. Pendant ce temps, Luke l'observait d'un regard amusé, prenant à peine une bouchée ou deux.

— Je crois que je ne pourrai plus bouger. C'était un vrai festin !

— Je pensais assister au repas des fauves. Je rends hommage à ton appétit. Désires-tu ce lard frit ?

— Grand Dieu non ! D'ailleurs c'est ta part.

Un couple âgé s'apprêtait à quitter la table voisine de la leur. Le vieux monsieur aidait sa femme à se lever avec des gestes touchants. Ils s'inclinèrent l'un et l'autre en leur disant :

— *Good morning.*

— *Good morning,* répondirent-ils en échangeant un regard complice.

— Finis ton thé. Nous allons dans un grand magasin puis chez Mme Tussaud. Ensuite nous déjeunerons au Ritz.

— Fantastique ! Et cet après-midi ?

— Je ne sais pas encore. Peut-être un tour à Soho.

— Qu'est-ce que c'est ?

— Tu verras bien, dit-il en riant.

Leur journée fut bien remplie et ils ne rentrèrent à leur hôtel que vers onze heures du soir. Dès qu'elle fut dans sa chambre, Janna se mit au lit et s'endormit aussitôt. Luke lui avait dit qu'ils se rendraient dans sa famille, dans le Surrey, le dimanche matin. Il ne leur restait donc plus qu'une journée à Londres. En s'endormant, elle s'était promis d'en tirer le meilleur parti possible.

C'est ce qu'ils firent en jouant les touristes du matin au soir. La relève de la garde à Buckingham Palace, une promenade en bateau sur la Tamise, l'abbaye de Westminster, la National Gallery, déjeuner dans un restaurant italien de premier ordre, dîner dans un restaurant indien qui leur donna une telle soif qu'ils firent encore deux arrêts dans des *pubs* avant de rentrer à l'hôtel.

— C'était le plus beau jour de ma vie. Merci Luke.

Il lui prit sa clé, ouvrit la porte, s'effaça pour la laisser passer et la suivit.

— J'y ai aussi pris grand plaisir. C'est très curieux, j'ai vécu ici la plus grande partie de ma vie, mais en voyant la ville avec tes yeux, Londres est devenue une ville nouvelle pour moi.

Il s'assit au bord du lit et poussa un gémissement.

— Mes pauvres pieds !

— Mon pauvre ami ! Les miens n'ont rien, je pourrais encore marcher des kilomètres.

— Je te rappelle que je suis bien plus âgé que toi, répliqua-t-il gentiment.

Elle aperçut une ombre sur le visage de Luke. Elle n'aurait pas dû dire cela. Pour rien au monde elle n'aurait voulu que cette merveilleuse journée soit abîmée par une remarque mal venue. Elle s'agenouilla devant lui, retira ses chaussures et commença à lui masser gentiment les pieds.

— Stop, cria-t-il.

— Pourquoi ?

— Je suis chatouilleux, idiote !

Elle se mit à rire aussi, mais cessa de le torturer et s'assit à côté de lui.

— Je me souviendrai de cette journée passée ensemble jusqu'au jour de ma mort.

Comme il ne disait rien, elle se tourna vers lui. Son expression lui fit froid au cœur. Elle posa ses mains sur les siennes et chercha son regard.

— Qu'as-tu, Luke, je t'en prie...

— Rien, Janna.

— Es-tu fâché que j'aie dit cela ?

— Pas du tout, dit-il en lui posant une main sur la joue, c'était très gentil de le dire, comment pourrais-je être fâché ?

Elle le regarda dans le fond des yeux. « Je t'aime », se répétait-elle silencieusement. Elle se demanda si ses sombres prunelles reflétaient son amour. Alors elle les ferma, se pencha et posa ses lèvres dans la paume d'une des mains de Luke.

Celui-ci lui caressa les cheveux de sa main libre. Après un moment, il la prit dans ses bras et leurs lèvres se joignirent. Il la repoussa gentiment en la contemplant avec une tendresse infinie.

— Tu n'es qu'une innocente enfant.

— Faux, je suis une femme.

Et elle entreprit de le lui démontrer en passant les bras autour de son cou. Elle aurait voulu être encore dans la chambre rose chez Eva et Luis, mais ils étaient en Europe et leur bref mariage devait être oublié. Elle avait déjà retiré son alliance et l'avait suspendue autour de son cou, à côté du crucifix du frère Marcus.

— Ne me quitte pas tout de suite, murmura-t-elle.

— Il faut que je retourne dans ma chambre. Nous savons l'un et l'autre pourquoi.

— Tiens-moi dans tes bras un moment. C'est tout ce que je te demande.

— Si j'avais l'imprudence de te prendre dans mes bras, tu sais bien que nous n'en resterions pas là, fit-il remarquer en poussant un soupir déchirant.

— Serait-ce si mal ?

— Oui, incontestablement.

— Alors il vaut mieux que tu partes.

— Oui, je sais.

Il lui prit les mains pour l'aider à se lever et lui posa un léger baiser sur le front. Elle s'appuya contre lui et se mit à pleurer à chaudes larmes.

— Je t'en prie Janna.

— Ce n'était rien, dit-elle en reniflant. Seulement, la journée a été si merveilleuse. Je n'ai jamais été aussi heureuse de ma vie.

Elle fit l'immense effort de s'éloigner de lui et s'appuya à la fenêtre, essuyant furtivement ses larmes.

— Comment irons-nous jusque chez toi demain ?

— En taxi. Nous partirons vers onze heures.

Luke se tenait maintenant derrière elle, mais ne la touchait pas.

— Tourne-toi, Janna.

— Non, je veux regarder par la fenêtre. C'est charmant, tu ne trouves pas ?

— Janna, regarde-moi.

Il lui prit le bras pour la forcer à se retourner. Elle lui fit un grand sourire et lui demanda d'un ton léger :

— Ces arbres, ne sont-ils pas beaux ?

— Très, répondit-il sans y poser les yeux qu'il plongea au contraire dans ceux de Janna.

Il y lut tout le désespoir qu'elle cherchait à lui cacher. Alors il s'approcha d'elle et leurs corps se touchèrent. Elle sentait les battements du cœur de Luke contre sa poitrine et ses muscles tendus. Il défit la fermeture de sa robe qui tomba sur le sol.

Elle le prit par la main et l'entraîna vers le lit sur lequel elle s'étendit en ouvrant les bras pour l'inviter à s'y blottir. Peu après, il l'embrassait avec passion.

Leur désir les emporta et Janna connut des instants qu'elle savait ne jamais pouvoir retrouver.

8

Ils n'avaient échangé que quelques paroles pendant le petit déjeuner. Janna ressentait une certaine appréhension à la perspective de se rendre à Courthill, dans la maison de Luke. Elle avait surmonté sa tristesse et décidé de chasser de sa mémoire les quelques jours qui venaient de s'écouler. Pour elle, une nouvelle vie commençait, une vie de solitude car elle n'était attachée à rien ni à personne. Peut-être retrouverait-elle la trace de parents inconnus, mais quoi qu'il pût arriver, elle avait l'intention de mener une vie indépendante dans ce pays où Luke l'avait conduite.

Il avait téléphoné à sa mère avant leur départ de l'hôtel puis avait appelé un taxi. Ils avaient traversé une banlieue interminable et roulaient maintenant sur une route de campagne.

— Nous arriverons dans une demi-heure. Ma mère sera à l'église, ce qui nous donnera le temps de visiter les lieux.

Le silence était retombé et Janna songeait à la vie qu'elle avait menée avec son père, heureuse mais pas facile. Il avait consacré sa vie aux Indiens et aux pauvres de la région de Santa Cruz, recevant rarement quoi que ce soit en échange des soins qu'il prodiguait, sinon parfois de la nourriture ou des objets de l'artisanat local. Leur existence avait été d'une simplicité spartiate, mais n'en connaissant pas d'autre, elle avait été heureuse en compagnie de ce père qui l'avait toujours entourée d'affection.

Elle se retrouvait brusquement catapultée dans un monde différent dont elle ne soupçonnait pas l'existence : la richesse extravagante à Rio de Oro, le vol transatlantique, Londres dont elle n'avait pu imaginer l'immensité, des magasins, des voitures de rêve et bientôt la demeure de l'homme qu'elle aimait, auquel elle devait plus que la vie.

Luke paraissait perdu dans ses pensées. Elle comprenait que le retour avec elle vers celles qu'il aimait le préoccupait. Saurait-elle se tenir dans ce milieu ? Elle se demandait aussi s'il oserait avouer à Annabel son infidélité et comment il lui expliquerait sa présence. Il n'avait rien à craindre, elle était décidée à jouer son rôle de manière à ne lui procurer aucun ennui.

— Voilà, au bout de l'allée.

Ils approchaient d'une grande maison de briques rouges surmontée de hautes cheminées et entourée d'arbres. Le chauffeur s'arrêta devant le perron et ils descendirent de voiture. Un labrador noir se précipita sur eux en aboyant. Luke l'attrapa par le collier et le retint fermement pendant que le taxi faisait demi-tour et s'en allait, puis il le relâcha. Le chien tournait autour de Luke en jappant et en sautant pour montrer sa joie.

— C'est mon chien. Néron, fais la connaissance de Janna.

Le chien tourna la tête vers elle avant de reprendre son ballet frénétique. Luke saisit leurs valises et se tourna vers Janna.

— Venez-vous ?

La porte d'entrée n'était pas verrouillée. Ils pénétrèrent dans un grand hall lambrissé de bois sombre sur lequel donnaient plusieurs portes entrouvertes. Tandis que Luke déposait leurs valises sur l'épais tapis rouge, une petite femme d'un certain âge, vêtue de noir, s'avança vers eux en s'essuyant les mains à son tablier.

— Bienvenue, Luke. Je suis heureuse que tu sois de retour à Courthill.

— Bonjour, Matty, dit-il en la serrant dans ses bras, maman est-elle de retour ?

— Non, mais elle ne tardera pas. Elle m'a demandé de t'avertir qu'elle s'arrêterait chez la vieille Mme Frobisher en revenant de l'église, répondit-elle en adressant un grand sourire à Janna.

— Je vous présente Matty, Janna. La maison ne pourrait marcher sans elle. Rangez-vous dans son camp et tout ira bien pour vous.

— N'en croyez pas un mot, Miss Janna, rétorqua-t-elle en rougissant. Je suis ravie de faire votre connaissance.

Elles se serrèrent la main. Matty devait bien avoir soixante-dix ans, mais ses yeux pétillaient de malice dans son visage ridé.

— Bonjour Matty, si vous me permettez de vous appeler ainsi.

— Bien entendu, tout le monde le fait. Qui voudrait dire Matilda, je vous le demande ? Venez dans la cuisine, le thé est prêt.

Elle se tourna vers Luke.

— J'ai préparé tes galettes favorites.

Janna n'avait jamais vu cuisine aussi vaste et aussi moderne.

— Asseyez-vous et laissez-moi faire, vous êtes dans mon domaine, ordonna-t-elle en posant les galettes sur la table. Prenez du beurre, mais n'en mangez pas plus de deux chacun, sinon vous ne pourriez faire honneur au déjeuner.

— Matty me traite toujours comme un enfant, pourtant elle n'est pas plus haute que trois pommes.

— Il fut un temps où tu étais encore plus petit, mais déjà aussi effronté !

Elle servit le thé et s'assit avec eux.

— Maintenant que tu es de retour, j'espère que tu vas rester longtemps.

— Probablement, dit-il la bouche pleine. Ces galettes sont toujours aussi délicieuses, elles m'ont manqué pendant que je parcourais l'Amérique latine. Rien ne vaut la cuisine de cette maison, c'est pourquoi j'y reviendrai toujours.

Il se tourna vers Janna.

— Matty fait partie de la famille depuis l'époque où j'étais au berceau.

— C'est bien cela, mais quand vas-tu te décider à m'expliquer qui est Janna ?

Luke lui raconta toute l'histoire, en omettant bien entendu leur mariage. Matty écoutait en silence, les larmes aux yeux.

— C'est un vrai conte de fées. Naturellement, tu vas tout faire pour l'aider à retrouver sa famille. Ta mère est-elle au courant ?

— Pas encore, je ne pouvais lui raconter par téléphone. Tu es la première à entendre l'histoire.

Matty s'essuya les yeux et regarda Janna en souriant.

— Vous avez eu beaucoup de chance et si quelqu'un peut vous aider, c'est bien Luke.

Le chien aboya dans le jardin et quelques instants plus tard, la porte s'ouvrit sur une grande femme élégante aux cheveux noirs parsemés de quelques mèches grises et ramenés en un épais chignon. Son tailleur de tweed sur une blouse de soie blanche rehaussait son beau visage majestueux ; en quelque sorte une version plus âgée et féminine de Luke. Celui-ci se leva et serra sa mère dans ses bras.

— Dieu merci, te voilà enfin de retour.

Puis elle se tourna vers Janna en souriant et lui tendit la main.

— Vous êtes sans doute Janna. Bienvenue en Angleterre.

— Je vous remercie, madame.

« C'est Mme Hayes-Ross », se disait Janna, « ma belle-mère, qui ne sait pas que je porte le même nom qu'elle ». Elle se sentait mal à l'aise devant cette dame impressionnante qui l'examinait de ses yeux gris — la couleur de ceux de Luke — brillants d'intelligence. Elle avait l'impression que la mère de Luke pouvait lire dans sa pensée.

— Le repas sera prêt dans une demi-heure, annonça Matty, nous le prendrons ici car mes rhumatismes m'empêchent de le servir dans la salle à manger.

— Très bien, répondit la mère de Luke en riant. En attendant, nous allons prendre l'apéritif au salon.

C'était une grande pièce confortable. Un feu pétillait dans la cheminée. Mme Hayes-Ross prit place sur un canapé et fit signe à Janna de s'asseoir à côté d'elle.

— Luke, occupe-toi des boissons — pour moi un martini — pendant que Janna me raconte comment elle t'a rencontré.

Janna sentait la panique l'envahir devant cette femme sûre d'elle qui devait se demander ce que cette étrangère faisait chez elle. Elle avait conscience d'appartenir à un autre monde. C'était comme un examen. Il fallait qu'elle le réussisse. Elle avait promis à Luke de ne pas le laisser tomber.

— J'ai passé toute ma vie en Amérique latine, près de Santa Cruz, une petite ville de Paragonie, commença-t-elle d'une voix ferme.

Elle n'avait pas honte de ses origines. Elle était pauvre, mais elle avait eu un père dont elle pouvait être fière et qu'elle avait profondément aimé. Cependant, comment cette femme ayant passé sa vie dans un tel univers pourrait-elle comprendre l'existence que menait son père ? Janna devinait chez la mère de Luke, non de l'hostilité, mais une nette réticence, bien naturelle, devant cette inconnue que son fils lui imposait. Celui-ci paraissait prendre un temps anormalement long à préparer les cocktails.

Janna redressa fièrement la tête. Si la mère de Luke laissait entendre que sa présence n'était pas désirable, elle s'en irait immédiatement, mais auparavant, elle tenait à lui narrer son histoire. Elle la fixa d'un regard décidé et lui raconta comment son père était mort d'une crise cardiaque quelques semaines auparavant, l'apostolat qui avait été le sien pendant de longues années, l'amour et le respect qu'il avait inspirés à tous ceux qu'il avait rencontrés. Jamais elle n'avait parlé de cela à Luke qui l'écoutait maintenant attentivement, ayant oublié les apéritifs dont sa mère l'avait chargé. Au fur et à mesure que ses souvenirs remontaient à la surface, son récit devenait plus coloré et plus chaleureux. Elle parlait d'une voix plus assurée et ses paroles traduisaient l'amour et le respect qu'elle avait éprouvés pour son père.

Luke et sa mère l'écoutaient, parfaitement immobiles et silencieux. Elle expliqua ensuite dans quelles circonstances elle avait fait la connaissance de Luke. Quand elle en arriva à leur séjour à la mission, elle toucha inconsciemment le crucifix et l'alliance dissimulés sous sa robe. Puis elle raconta leur voyage, Rio de Oro, l'avion, l'arrivée en Angleterre.

— Je voudrais retrouver la famille de mon père — ma famille — pour autant qu'elle existe. Quelqu'un a émis l'hypothèse que mon père avait peut-être commis une faute avant de partir pour l'Amérique latine avec ma mère, et qu'il avait alors changé son nom. Je suis prête à accepter cette révélation, mais je sais dans le fond de mon cœur que quoi qu'il ait fait, il l'a compensé au centuple par l'abnégation dont il a fait preuve envers tant de pauvres gens.

Elle avait terminé son récit les larmes aux yeux, mais elle ne les essuyait pas, gardant la tête haute et ne quittant pas la mère de Luke des yeux, attendant calmement son verdict. Luke la regardait comme s'il la voyait pour la première fois.

— Ma chère enfant, votre père était un homme remarquable et vous avez toutes les raisons d'être fière de lui, dit Mme Hayes-Ross en posant une main sur les siennes. Je suis heureuse que mon fils vous ait rencontrée et le suis encore davantage qu'il vous ait amenée ici.

— Merci, répondit Janna dans un souffle.

Luke s'approcha, tendit un verre à sa mère et un mouchoir à Janna.

— Essuyez ces larmes et ensuite, buvez ceci.

Janna obéit et prit le verre qu'il lui offrait. L'atmosphère était différente. Toute réticence avait disparu chez Mme Hayes-Ross. Celle-ci n'avait pas cillé pendant tout le récit de Janna, mais elle n'avait pas réussi à dissimuler complètement son émotion. Elle se leva, posa son verre sur un guéridon, s'excusa et sortit. Luke s'assit à côté de Janna.

— Pourquoi ne m'aviez-vous rien raconté ?

— Ce n'était pas nécessaire.

— Mais cela l'est devenu ici ?

— Exactement, je l'ai bien compris quand j'ai vu votre mère.

— Je vois. Je me trompais, vous n'êtes plus une enfant. Vous êtes plus mûre que je ne le croyais. Jamais je n'ai vu ma mère aussi émue.

— Je ne voulais pas la bouleverser.

— Non, ce n'est pas cela. Je l'ai observée pendant votre récit. C'était comme si elle s'éveillait, comme… je ne sais comment m'exprimer, mais je sais quelle a été ma réaction.

— Laquelle ?

— Vous m'avez fait regretter de ne l'avoir pas connu.

— Vous l'auriez aimé. S'il vous plaît, ne me faites pas pleurer de nouveau.

— Plus jamais, je vous le promets. Cela m'est trop souvent arrivé. Finissez votre verre, il est temps de passer à table.

Le repas fut simple, mais délicieux : consommé, poulet de ferme rôti, divers légumes, compote de fruits. Quand il fut terminé, Janna commença à desservir.

— Vous n'êtes pas venue ici pour travailler, fit observer Luke.

— Je vous en prie, laissez-moi faire.

Elle se tourna vers Matty.

— A moins que vous n'ayez une objection ?

— Au contraire, mon petit.

La mère de Luke se leva et regarda son fils :

— Dans ce cas, nous allons parler tous les deux et tu vas tout me dire de tes aventures.

— Je vais vous préparer une tasse de thé et faire la vaisselle, Matty. Asseyez-vous.

— Prendriez-vous par hasard pitié d'une vieille femme ?

Janna sentit le rouge lui monter aux joues. C'était exactement ce qu'elle pensait, elle trouvait inadmissible que tout ce travail retombât sur les épaules de Matty. C'est pourquoi elle était décidée à l'aider le plus possible pendant son séjour dans cette maison.

— Pas du tout, mais je n'aime pas rester inactive.

— Vous êtes une enfant généreuse, Janna, mais je suis vraiment comme un coq en pâte ici.

Janna sourit pour cacher son septicisme.

— Vous pensez que je suis seule à m'occuper de tout, n'est-ce pas ?

Janna se mordit les lèvres et se concentra sur sa tâche.

— C'est bien ce que j'avais compris. Je vais vous rassurer. Une gouvernante et deux domestiques s'occupent de la maison chaque jour, sauf le dimanche.

Janna se mit à rire pour cacher sa confusion.

— Vous devez me trouvez bien stupide. Je n'avais pas compris, je croyais...

— Que j'étais une pauvre vieille femme surchargée de travail ! Vous vous trompiez. Je suis officiellement à la retraite, mais comme je n'ai pas de famille, les Hayes-Ross m'ont dit, il y a plus de dix ans, que cette maison était la mienne jusqu'à la fin de mes jours. Mais je suis comme vous, l'inactivité me pèse et comme j'adore faire la cuisine, je m'en occupe souvent. Et le dimanche, je suis la reine ici.

Elle interrompit son bavardage pour boire une gorgée du thé que Janna avait préparé pour elle.

— J'ai une belle chambre où j'ai accumulé des trésors, avec un appareil de télévision en couleurs offert par Luke. Ne le lui répétez pas, mais c'est le meilleur de tous ; Luke a toujours été mon favori.

— Il a été merveilleux pour moi. Sans lui, il m'aurait fallu des mois pour économiser assez d'argent pour le train et le bateau, et je ne sais combien de temps pour obtenir un passeport. Il a tout arrangé en quelques jours. Je lui en suis très reconnaissante.

— Je n'en doute pas, dit la vieille dame en la dévisageant avec un regard perspicace.

Trop perspicace même, songeait Janna. Il ne faut pas qu'elle perce mon secret.

— Il m'a parlé de sa fiancée.

— Miss Annabel, oui. Elle est délicieuse. Ils forment un couple bien assorti. Elle est si gentille, elle m'apporte toujours un petit cadeau quand elle revient de vacances.

Janna écoutait Matty sans l'interrompre. Qu'avait-elle espéré entendre à propos d'Annabel ? Que c'était un dragon ? Eh bien ! elle s'était trompée. Elle souhaita, trop tard, n'avoir pas mis la conversation sur ce sujet. Matty continuait de parler d'Annabel, de son goût pour les chevaux, comment, quand ils étaient tous plus jeunes elle montait avec Luke, Marc et Bob qu'elle appelait les trois mousquetaires.

— Quel beau mariage ce sera !

— J'en suis persuadée, commenta Janna d'une voix égale.

Elle s'en voulait d'avoir provoqué les confessions de Matty. C'était un peu comme si elle regardait par le trou de la serrure. Elle s'était préparée à haïr Annabel pour la seule raison que celle-ci aimait Luke. Mais de toute évidence, la vieille dame, qui paraissait ne pas manquer de jugement, aimait beaucoup la fiancée de Luke ; Annabel avait sans doute tout pour plaire. Le silence fut troublé par le galop d'un cheval et le bruit d'un portail.

— Quand on parle du diable, s'exclama Matty, ce doit être elle.

La porte s'entrouvrit et une tête apparut.

— Matty chérie, puis-je entrer ?

Janna se demanda si elle allait s'évanouir. Le moment qu'elle redoutait depuis qu'elle avait ramassé cette maudite lettre était arrivé. Elle leva les yeux et vit une tête blonde. La porte s'ouvrit tout à fait et Annabel fit son entrée. C'était incontestablement une très belle femme. Elle s'appuya à la porte, une expression de surprise sur le visage.

— Pardon, Matty, je ne savais pas que tu avais une visiteuse.

Et elle adressa à Janna un sourire d'excuse. A travers un brouillard mental, Janna entendit Matty expliquer qui elle était et dire que Luke et sa mère étaient dans le salon. Janna et Annabel se serrèrent la main. La poignée de main de la fiancée de Luke était décidée et chaleureuse. Annabel était aussi grande que Janna. Ses cheveux dorés tombaient en grandes boucles sur ses épaules. Elle portait une culotte de cheval et un chandail rouge très chics qui mettaient en valeur un corps admirablement proportionné. Ses yeux étaient d'un bleu profond et sa bouche bien dessinée.

— Si vous voulez bien m'excuser, je vais aller les rejoindre.

— Eh bien ! vous avez fait sa connaissance. Quelle coïncidence qu'elle soit arrivée juste au moment où nous parlions d'elle !

Et Matty reprit son bavardage, mais Janna ne l'écoutait que d'une oreille distraite. Elle tâchait de garder bonne contenance, mais son cœur saignait. Il aimait cette femme, chaleureuse, amicale, intelligente, très belle, qui l'aimait en retour. Plus tôt elle trouverait la trace de ses parents, plus tôt elle quitterait cette maison. Et son mariage avec Luke serait annulé... Elle se mordit les lèvres pour s'empêcher de pleurer.

— Matty vous raconte sans doute l'histoire de la famille, demanda Luke en entrant, seul. Puis il ajouta sans attendre la réponse :

— Je suis venu faire un peu de café. Ne vous dérangez pas pour moi, je m'en occuperai moi-même. Il jeta un regard grave à Janna qui se demandait ce qu'il était en train de penser.

— Annabel est ravissante, réussit-elle à dire.

— N'est-ce pas ? répondit-il sans sourire.

Il ne souriait plus jamais à Janna depuis leur arrivée. Il avait retrouvé celle qu'il aimait et attendait seulement de pouvoir la rejoindre. Elle se leva.

— Je vais préparer le café et je vous l'apporterai, ou Matty l'apportera.

— Merci beaucoup, dit-il en s'asseyant. Elle bavarde avec ma mère à propos d'un bal, la semaine prochaine, auquel je doute qu'on puisse me convaincre de participer.

Matty qui cherchait quelque chose dans un placard se retourna brusquement.

— Tu devrais sortir davantage. Cela te ferait le plus grand bien.

— Oui, Matty, je tâcherai d'être un garçon obéissant.

La vieille femme, qui finalement préparait elle-même le café, leur tournait le dos. Le regard de Luke rencontra celui de Janna.

— Et vous? Cela vous ferait-il plaisir d'aller au bal?

— Je ne suis jamais allée à aucun bal. Je préférerais rester avec Matty, si elle veut bien de moi.

— Cela vous ferait du bien aussi, proclama Matty. Une jolie fille comme vous! Je suis sûre que vous vous amuseriez.

— Matty a raison. D'ailleurs vous avez déjà participé à une soirée et vous vous êtes bien amusée. Ce bal ne sera pas tellement différent.

Janna avait envie de hurler. Pourquoi lui rappelait-il le jour de leur mariage? Ne comprenait-il pas que chaque mot qu'il prononçait la blessait comme un coup de poignard? Elle s'assit, tâchant de réprimer la colère qui montait en elle.

— Qu'avez-vous, ma chérie? dit Matty qui se tourna ensuite vers Luke. La pauvre a l'air épuisée, ajouta-t-elle.

— Désirez-vous vous étendre? demanda Luke, s'apercevant enfin de sa faiblesse.

— Je ne voudrais pas vous déranger.

— Cela n'a pas de sens. Luke, surveille le café pendant que je l'accompagne en haut.

Janna suivit Matty dans un escalier monumental puis le long d'un grand corridor recouvert d'une épaisse moquette. Elles entrèrent dans une chambre magnifique entièrement de couleur crème, à l'exception des lourds rideaux de velours rouge sombre.

— Retirez votre robe et vos chaussures et faites une petite sieste, cela vous remettra d'aplomb.

Matty sortit en fermant la porte. Janna se déshabilla et s'étendit sous une couverture. Quelques minutes plus tard, elle était profondément endormie.

Quelqu'un frappait à la porte et cela réveilla Janna, interrompant un rêve affreux : Luke s'éloignait d'elle sans dire un mot et allait rejoindre une grande femme souriante, vêtue d'une longue robe blanche, qui l'attendait en lui lui tendant les bras.

— Entrez.

C'était Luke. Il lui demanda comme elle allait.

— Beaucoup mieux, merci. Quelle heure est-il ?

— Près de sept heures du soir.

— Si tard ! Je suis désolée.

— Il n'y a pas de quoi. Ma mère était contente de retrouver son fils, nous avons parlé toute l'après-midi. Quant à Matty, elle s'est assoupie dans la cuisine.

— Où est Annabel ? demanda-t-elle, craignant que celle-ci ne trouve anormale la présence de Luke dans sa chambre.

— Elle est partie il y a une heure. Mon frère Marc a téléphoné. Il viendra passer un moment avec nous ce soir.

— Irez-vous au bal ?

— Oui, répondit-il en faisant une grimace. Je vais persuader Marc d'y aller aussi. Ainsi nous serons quatre. Je suis sûr que cela vous plaira.

— Comment pouvez-vous dire cela de *moi* alors que *vous* faites la grimace.

— Rien ne vous échappe, je vois. Mais vous, vous y rencontrerez des gens de votre âge, vous vous y amuserez.

— Je ne tiens ni à m'amuser, ni à rencontrer des gens de mon âge.

— Vous changerez d'idée d'ici un jour ou deux. Annabel vous prêtera une robe de bal. Vous avez la même stature et sa garde-robe est un vrai magasin de couture.

— Lui avez-vous raconté comment nous nous sommes rencontrés ?

108

— Ma mère l'a fait.

— Comment l'a-t-elle pris ?

Janna n'avait pu s'empêcher de poser la question ; elle savait pourtant qu'elle ne présentait aucun danger pour Annabel, laquelle devait s'en rendre compte. En sa qualité de fiancée, elle était sûre de l'amour de Luke pour elle et du sien pour lui. Il réfléchit un moment puis sourit, pour la première fois depuis longtemps.

— Si cela lui a déplu, elle l'a bien caché. C'est son genre.

— Quand allez-vous vous marier ?

Aussitôt qu'elle eut posé la question, elle le regretta. Luke, qui s'était assis au bord du lit, se leva.

— Je ne sais pas, répondit-il en s'approchant de la fenêtre. Il y a d'abord un certain nombre de problèmes à régler, vous le savez aussi bien que moi.

— Je suis désolée, dit-elle en se prenant la tête dans les mains, je n'aurais pas dû vous le demander et nous n'aurions pas dû...

— Nous marier ?

— Oui.

— Vous seriez restée là-bas des mois.

— Et alors ? J'aurais pu rester à Rio de Oro. J'aurais trouvé du travail.

— Quel travail ?

— Je ne sais pas, j'aurais trouvé quelque chose. Peut-être dans votre usine ?

— Vous auriez préféré cela plutôt que de venir ici ?

— C'eût été préférable pour vous. Je vous ai mis dans une situation fausse, par ma faute. Annabel est si gentille, je l'ai tout de suite aimée.

— Au nom du ciel, taisez-vous, s'exclama-t-il violemment.

Et il partit. Il l'avait remise à sa place. Désormais, elle saurait comment se conduire. C'était comme s'il l'avait giflée. Il ne voulait pas qu'elle lui parle de la

109

femme qu'il aimait et elle en souffrait profondément. Luke ne la considérait pas digne de le faire. Certes, il appartenait à un autre monde qu'elle. A aucun prix elle ne devait rester longtemps dans cette maison...

9

Janna fit la connaissance de Marc dans la soirée du dimanche. Il ressemblait à son frère mais possédait une personnalité entièrement différente. Il s'était montré charmant avec elle, ce qui contrastait avec la froideur que lui manifestait désormais Luke. Il lui avait offert de l'aider à retrouver les traces de sa famille et elle avait senti que son offre était sincère.

Les jours suivants avaient passé très vite. Lundi, Luke s'était rendu à Londres avec tous les renseignements qu'elle avait pu lui donner. Il avait refusé qu'elle l'accompagne, préférant effectuer seul les recherches. Elle avait bien dû se contenter de cette explication.

Petit à petit, elle s'était rendu compte que Clare Hayes-Ross, la mère de Luke, sous une apparente réserve, dissimulait beaucoup de gentillesse. Mercredi, celle-ci l'avait emmenée chez des amis auxquels elle devait rendre visite. Elles avaient passé un après-midi tout à fait agréable, rentrant juste à temps pour le dîner.

Quant à Luke, elle ne l'avait presque pas vu. Pendant les quelques jours qu'elle venait de passer dans la maison familiale des Hayes-Ross, elle s'était aperçue qu'il était un homme d'affaires très occupé, mais de toute évidence, il l'évitait délibérément. Pourtant, il le faisait avec un tel doigté que cela avait échappé à tous les autres. Il s'était toujours montré poli avec elle, même amical, mais il était redevenu un étranger. Un mur invisible les séparait.

Janna espérait quitter bientôt Courthill pour tenter de l'oublier. Elle ressentait toujours un amour aussi profond pour lui, mais elle voulait par-dessus tout qu'il fût heureux, or il ne le serait pas tant qu'elle resterait.

Quand Clare et Janna entrèrent dans le hall, Néron leur fit fête. Janna l'avait plusieurs fois emmené pour de longues promenades et le chien s'était attaché à elle. Luke sortit de son bureau.

— Tu es revenu à temps pour le dîner. Tu avais pourtant dit que tu rentrerais tard.

— Comme tu le vois, j'ai pu m'arranger. J'en ai averti Matty. Et Marc va venir aussi.

Il leur adressa un grand sourire, mais Janna savait qu'il n'était destiné qu'à sa mère.

— Vous ne pouvez savoir combien je suis heureuse, dit Clare en se tournant vers Janna, il est rare que je les aie ensemble pour le dîner. Ils sont tellement occupés l'un et l'autre. Je vais me rendre présentable.

Elle se dirigea vers l'escalier. Janna allait donc se retrouver seule avec Luke, ce qui inévitablement déplairait à ce dernier.

— Je vais aller aider Matty, annonça-t-elle sans le regarder.

Dans la cuisine, Matty épluchait des légumes. Elle accepta de bonne grâce l'aide de Janna qui entreprit de peler les pommes de terre déjà lavées.

— Marc vient aussi dîner, nous serons donc cinq. Etes-vous certaine, Matty, qu'il y en aura assez ?

— Vous avez peut-être raison. Il dévore comme un ogre. Ajoutez-en quelques-unes. En revanche, depuis qu'il est revenu, Luke ne mange que du bout des lèvres...

Le téléphone se mit à sonner et Matty demanda à Janna d'aller répondre. Elle décrocha l'appareil du hall, un des cinq de la maison, sans compter les lignes aboutissant au bureau de Luke. Elle reconnut la voix d'Annabel.

— C'est Janna? Ici Annabel. Luke est-il rentré?

— Oui, attendez un instant, je vais l'avertir.

— Non, ne le dérangez pas s'il travaille. Pourriez-vous lui transmettre un message, s'il vous plaît?

— Bien volontiers.

— Je vous en remercie. Dites-lui que je ne pourrai pas le voir ce soir comme prévu. Il est arrivé quelque chose dont je lui parlerai demain. Janna, ne raccrochez pas. Vous viendrez au bal, vendredi, bien entendu?

— Non, ce n'était pas mon intention.

— Mais il faut venir, vous adorerez ce bal. Je croyais que c'était entendu.

— C'est très gentil à vous, mais je ne connais personne.

— Vous nous connaissez, nous. Et je vous promets de m'occuper de vous. De plus j'ai des robes fantastiques qui vous iraient comme un gant.

Janna ne supportait pas cette situation. Elle n'avait rencontré Annabel que deux fois, dimanche et la veille. La seconde fois, Annabel s'était montrée chaleureuse et amicale et avait proposé de lui apprendre à monter à cheval. Elle ne pouvait accepter les amabilités d'Annabel sans se sentir malhonnête.

— Je vous suis reconnaissante, mais...

— Il n'y a pas de mais. Je passerai vous prendre demain à dix heures. Quand vous aurez essayé quelques robes, vous changerez d'avis. Bonsoir!

Et elle raccrocha.

— Matty, je finirai ces légumes tout à l'heure, il faut que j'aille transmettre un message à Luke.

Elle frappa à la porte du bureau.

— Qu'est-ce que c'est?

— J'ai reçu un message d'Annabel.

— Entrez.

Janna entrouvrit la porte. Luke se leva et la fit entrer, refermant derrière elle.

— Que voulait-elle ?

Elle lui répéta le message mot pour mot.

— Et c'est tout ?

— Oui.

Elle mit la main sur la poignée, mais il lui demanda d'attendre. Elle le considéra avec appréhension.

— Je dois aider Matty à éplucher les légumes.

— Ces maudits légumes peuvent attendre ! Voilà ce dont il s'agit. Je suis retourné à Londres aujourd'hui. L'ordre des médecins fait ce qu'il peut, mais demande d'autres renseignements. Réfléchissez bien, n'auriez-vous pas omis de me dire quelque chose ?

— Je ne pense pas, du moins pour l'instant.

Il est vrai qu'elle était incapable de penser. L'hostilité manifeste de Luke la paralysait. Elle fit un immense effort de mémoire et eut une inspiration.

— Je vais encore regarder dans mon coffret. Il y a quelques vieilles lettres.

— Où est-il ? Pourquoi ne m'en avez-vous pas parlé plus tôt ?

— Je croyais l'avoir fait. Il est dans ma valise.

— Je ne peux pas me souvenir de tout. Allez le chercher. Non ! Il vaut mieux attendre. Apportez-le après le dîner et nous examinerons son contenu ensemble.

— Mais votre frère vient justement ce soir.

— Et alors ?

Il la regarda, le visage dur, puis il eut un rire grinçant.

— Ah ! je vois...

— Que voyez-vous ? demanda-t-elle en le regardant d'un air étonné.

— Il vous plaît, n'est-ce pas ?

— Vous êtes ridicule.

— Vraiment ? dit-il en se rapprochant, pourtant vous étiez suspendue à ses lèvres, dimanche.

— Ne soyez pas stupide !

Elle était tellement indignée qu'elle en avait oublié sa résolution d'éviter tout conflit avec Luke jusqu'à son départ. Tout cela était trop odieux.

— Stupide ? Alors pourquoi viendrait-il ici deux fois en quatre jours ?

— Je n'en sais rien. Après tout c'est *votre* frère, demandez-le-lui vous-même.

Elle se retourna pour s'en aller, mais il l'attrapa par le bras.

— Ne partez pas quand je vous parle.

— Je ne resterai pas une minute de plus pour écouter vos ridicules...

— Vous feriez pourtant mieux.

Il verrouilla la porte et mit la clé dans sa poche.

— Vous êtes une sale petite intrigante et vous vous débrouillez vite. Tout s'enchaîne. Il a décidé de participer à ce bal dès qu'il a su que *vous* seriez là aussi...

Elle le gifla à toute volée. Pâle de rage, il l'agrippa par les deux bras, enfonçant profondément ses doigts dans sa chair. Janna fut prise de panique.

— Laissez-moi, je vous en supplie. Je vous demande pardon de vous avoir frappé, mais je vous jure qu'il ne m'attire pas. Si vous pensez qu'il a un faible pour moi, je ferai en sorte de le décourager.

Il la lâcha, comme s'il ne supportait plus de la toucher. Janna comprenait qu'il ne supportait pas l'idée de relations, quelles qu'elles fussent, entre elle et un autre membre de sa famille. Elle l'aimait toujours autant, mais cela elle ne pourrait jamais le lui dire. Pour le reste, l'heure de vérité était arrivée. Elle rassembla son courage et s'expliqua :

— Cela me dérange d'être ainsi dépendante de vous. Je sais que vous ne voulez pas de moi ici et je comprends pourquoi, croyez-moi, je le comprends parfaitement. Malheureusement, pour l'instant je ne saurais où aller, mais je vous promets de ne pas rester ici une heure de plus qu'il ne sera nécessaire. Je comprends aussi que vous regrettez probablement tous vos gestes généreux, ce qui me fait beaucoup de peine, mais je vous promets de façon solennelle que jamais je ne révélerai quoi que ce soit à Annabel qui puisse l'amener à suspecter nos... nos relations.

Janna avait terminé. Elle n'aurait pu trouver un mot de plus à ajouter. S'il ne comprenait pas maintenant, il ne comprendrait jamais. La pièce était plongée dans le silence. Sans se troubler, Luke s'écarta d'elle et s'approcha de la fenêtre. C'était la répétition de la scène du dimanche précédent, mais il ne lui disait pas de se taire. Elle avait l'impression que cette fois, Luke l'avait écoutée. Le cœur battant, elle s'approcha de lui et lui toucha le bras.

— Laissez-moi partir. Je tâcherai de me tenir autant que possible hors de votre chemin, mais Annabel vient me chercher demain matin pour m'emmener avec elle.

— Pourquoi ? demanda-t-il sèchement.

— Pour essayer des robes, mais je vais lui téléphoner pour lui dire que je ne...

— Non. Allez-y demain matin et faites vos essayages.

— Mais, le bal ? Vous ne voulez pas dire maintenant...

— Peut-être avais-je tort. Je ne sais plus.

Luke était pâle, il avait l'air presque malade.

— Allez ! Matty vous attend !

— Je ne peux pas, la porte est fermée à clé.

Il jura, prit la clé dans sa poche et la déverrouilla. Janna se dirigea vers la sortie, mais elle trébucha et tomba à genoux. Il l'aida à se relever. Elle le regarda et vit dans son regard une immense souffrance.

— Luke, dit-elle à voix basse, tu ne comprends donc

116

pas que je ne ferai jamais rien qui puisse te faire de la peine ?

— Mon Dieu, répondit-il en fermant les yeux, c'est beaucoup trop tard, le mal est fait.

Il l'attira à lui et l'enferma dans ses bras puissants. Elle poussa un petit gémissement. Il ne connaissait pas sa force et l'étouffait. Elle tenta de lui dire quelque chose mais il ne desserra pas son étreinte ; il approcha son visage du sien et lui écrasa les lèvres en un baiser brutal et désespéré. Janna, percevant le mélange de colère et de passion qui habitait Luke eut peur de lui et de ses propres réactions. Elle réussit à se dégager, reprit son souffle, et prit la tête de Luke entre ses mains pour lui insuffler une force qu'elle ne possédait pas elle-même.

— Luke, je partirai d'ici demain.

— Où pourrais-tu aller ?

— Je ne sais pas, n'importe où, dit-elle en fondant en larmes. Tout va de travers. Il ne faut pas que je reste ici, cela te rend malheureux. Je désire que notre... arrangement soit annulé au plus tôt. Quand je serai partie, tu oublieras vite...

Luke s'était complètement repris et c'est d'une voix dure et autoritaire qu'il l'interrompit.

— Il n'est pas question que vous partiez maintenant, et le sujet est clos. Quand j'aurai retrouvé la trace de votre famille...

Il laissa la phrase en suspens.

— J'apporterai mon coffret après le dîner comme vous l'avez demandé.

Il ne bougea ni ne dit mot, et elle sortit.

Le dîner fut, pour Janna, une rude épreuve. Marc, assis en face d'elle, paraissait préoccupé. Luke ne desserra pas les dents, si ce n'est pour avaler quelques bouchées. Si Clare Hayes-Ross perçut leur tension, elle feignit de ne la pas remarquer. À un certain moment, le regard de Marc rencontra celui de Janna et il lui sourit, mais après la scène que lui avait faite Luke à propos de son frère, elle se sentait mal à l'aise. Elle détourna les yeux et évita de le regarder de nouveau. A la fin du repas, ils se levèrent tous pour passer au salon où ils prenaient d'habitude le café.

— Allez chercher votre coffret, nous prendrons le café dans mon bureau.

— Vraiment, Luke, cela pourrait attendre, puisque Marc est ici, fit remarquer sa mère.

— Ecoute, mère, intervint Marc, j'ai quelqu'un à voir près d'ici dans un instant. Je suis passé en coup de vent car je n'ai pu résister à la perspective d'un délicieux repas préparé par Matty.

— Mais tu viens à peine d'arriver. Oh, vous les hommes !

Elle se tourna vers Janna.

— Ma chère, n'ayez jamais de fils. Ils prennent la maison de leur mère pour un hôtel.

Marc embrassa sa mère sur la joue.

— Pour compenser, je passerai toute l'après-midi de vendredi avec vous, mère.

Clare le dévisagea avec un petit sourire amusé.

— Je me demande pourquoi ? Laisse-moi deviner.

— Seulement pour le plaisir de me trouver avec vous.

Luke et Janna se retrouvèrent seuls. Elle commença à desservir et il l'aida. Elle espérait que Luke ne ferait pas de commentaires sur l'intention de son frère de revenir vendredi.

— Je vais chercher mon coffret et vous rejoindrai dans votre bureau avec le café.

Luke avait dégagé son bureau. Elle y posa le plateau à café et le coffret. Il approcha deux chaises, s'assit et l'invita à faire de même.

— Est-il fermé ?

— Non, répondit-elle en l'ouvrant et en en sortant une liasse de papiers.

— Me permettez-vous de tout examiner ?

— Bien entendu, je n'ai rien à cacher.

Il commença à trier les papiers, vieilles factures, lettres jaunies appartenant à son père, qu'elle avait conservées sans même savoir généralement qui les avait écrites. Janna regarda au fond du coffret et y retrouva des souvenirs d'enfance, une enfance qui lui semblait maintenant appartenir à un autre monde. Une petite poupée pas plus longue qu'une allumette, mais admirablement sculptée, un éléphant d'ivoire de la dimension d'un ongle, une petite bague ornée d'une améthyste et un médaillon en or accroché à une chaînette.

Luke avait fait deux piles avec les papiers. Il prit la plus épaisse et la remit dans le coffret après en avoir retiré le médaillon.

— Il n'y a rien d'intéressant là-dedans, mais je désire relire ceux-ci, annonça-t-il en posant le doigt sur la petite pile. Il prit le médaillon et le tourna en tous sens.

— Peut-il s'ouvrir ?

— Non.

— En êtes-vous sûre ?

Il prit une loupe sur son bureau et l'examina attentivement.

— Janna, dans le tiroir de droite, il y a une petite trousse de cuir. Apportez-la-moi s'il vous plaît.

Il tira de la trousse un instrument ressemblant à une aiguille.

— Que faites-vous ?

— Je vais essayer d'ouvrir le médaillon.

— Je vous dis qu'il ne s'ouvre pas.

— Je vais tout de même essayer.

Janna le regardait, fascinée. Il se servait de ses grandes mains avec une habileté d'horloger. Ces mains dont elle connaissait si bien la douceur...

— Voilà !

Le médaillon était ouvert. Il en tira deux minuscules photographies qu'il tendit à Janna avec la loupe.

— C'est mon père quand il était jeune ; et celle-là c'est...

L'émotion lui coupait le souffle.

— C'est sûrement ma mère.

Janna croyait regarder son propre portrait.

— Puis-je les examiner ? demanda-t-il avec beaucoup de gentillesse.

Il les manipula avec un soin infini, reprit sa loupe et découvrit au dos de chacune une inscription presque effacée qu'il recopia sur son bloc.

— Janna, en regroupant ce que j'ai déjà découvert, je suis en mesure de vous dire plusieurs choses. D'abord votre vrai nom n'est pas Thorne, c'est Stewart. Ensuite vos parents se sont mariés en octobre 1955, le deuxième jour du mois. Ces renseignements me permettront de progresser dans mes recherches à Londres. Regardez très attentivement ces photographies. Elles ont probablement été découpées dans une photographie de mariage. L'écriture au dos est-elle celle de votre père ?

— Non, certainement pas.

— C'est donc probablement celle de votre mère. Maintenant, sachez que je risque de bientôt découvrir pourquoi votre père a quitté l'Angleterre pour la Paragonie et pourquoi il a jugé bon de changer d'identité. Cela a dû se passer entre 1955 et 1960.

— Je suis prête à tout entendre, je veux connaître la vérité.

Luke jeta un regard sur la pendule et se leva.

— Il nous faut rejoindre ma mère et Marc.

Il la fixait tout en parlant de son frère, mais elle ne cilla pas. Elle avait suffisamment de préoccupations pour ne pas s'inquiéter des phantasmes de Luke.

— Si vous n'y voyez pas d'inconvénients, je préfèrerais aller aider Matty. Voulez-vous que je laisse le coffret ici ?

— Oui. Je remettrai tout en place quand j'aurai fini de recopier ce qui m'est nécessaire.

Janna alla rejoindre Matty avec laquelle elle se sentait à l'aise et qu'elle aimait beaucoup. Quant à Clare Hayes-Ross, elle était toujours charmante, mais Janna avait surpris plusieurs fois son regard posé sur elle, étonné et presque inquiet. Son instinct lui soufflait que la mère de Luke conservait encore une certaine réticence à son égard.

Un jour où elles prenaient le café, seules au salon, Clare lui avait confié qu'elle aurait voulu avoir aussi une fille. Pour elle, Annabel aurait été une fille idéale et elle se réjouissait de l'avoir bientôt pour belle-fille. Elle parla ensuite des parents d'Annabel, qu'elle aimait beaucoup, puis demanda à Janna son âge.

— Bientôt vingt ans.

— Comme vous êtes jeune et quelle chance vous avez d'avoir toute la vie devant vous ! Moi, j'étais fiancée à dix-neuf ans et je ne pensais jamais pouvoir être plus heureuse de ma vie. Puis à quelques semaines de mon mariage, j'ai rencontré le père de Luke, je veux dire mon mari maintenant décédé, et tout s'est transformé d'un jour à l'autre. Mes fiançailles ont été discrètement rompues et six mois plus tard, je l'épousais. Vous verrez que dans l'année qui vient, vous tomberez aussi plusieurs fois amoureuse.

Clare la regardait en souriant et Janna lui rendit son sourire en se disant qu'elle se trompait. Elle aimait Luke et n'aimerait jamais que lui. Le récit qu'elle venait d'entendre était une façon discrète de la mettre en garde, de la prier de ne pas s'attacher à Luke, mais Clare ignorait que son conseil arrivait trop tard.

Au réveil, Janna ressentit un certain émoi à la pensée des heures qu'elle serait contrainte de passer en compa-

121

gnie d'Annabel. Elle prit un bain, lava et sécha ses cheveux, qui avaient déjà suffisamment repoussé et correspondaient presque grâce à leurs ondulations naturelles, à la mode anglaise. Elle mit un peu de rouge à lèvres — opération encore laborieuse faute d'habitude — passa une robe d'été jaune et enfila des sandales. Janna se sentait une âme de traîtresse, d'autant plus que la fiancée de Luke faisait preuve d'une grande amabilité à son égard. Elle comprenait les sentiments de Luke et lui pardonnait sa mauvaise humeur. Sa présence devait lui être odieuse, elle lui rappelait constamment son infidélité envers Annabel...

Celle-ci arriva à dix heures précises, au volant d'une ravissante voiture de sport bleue. Elle alla bavarder un moment avec la mère de Luke puis vint rejoindre Janna qui se trouvait dans la cuisine avec Matty. Elle portait une robe moulante d'un rose délicat. Ses bras et ses longues jambes étaient parfaitement bronzés.

— Bonjour à toutes, dit-elle joyeusement en s'asseyant et en réclamant une tasse de café.

Matty s'empressa d'en préparer, toujours heureuse quand s'offrait une occasion de faire plaisir à quelqu'un. Annabel adressa un grand sourire à Janna.

— Ma mère se réjouit de vous rencontrer. Elle aimerait que vous déjeuniez avec nous, avec la permission de Matty, bien entendu.

— On veut me faire passer pour un dragon !

— Tu en es un, Matty, tout le monde a peur de toi !

— Sauf quand il s'agit de mendier une tasse de café.

— Alors, Janna, est-ce d'accord ? La mère de Luke n'y verra pas d'objection, elle va s'occuper de ses œuvres toute la journée.

— J'accepte avec plaisir.

Janna n'avait aucune raison valable de refuser. Luke avait quitté la maison immédiatement après le petit déjeuner, annonçant qu'il se rendait à Londres.

— Je finis mon café. Ensuite je vous attendrai dans la voiture, proposa Annabel.

— Très bien, je vais me donner un coup de peigne et prendre mon sac.

Cinq minutes plus tard, les deux jeunes femmes partirent. Annabel roulait vite sur une route de campagne peu fréquentée, poussant son moteur et changeant habilement de vitesses.

— Je n'habite pas loin, nous serons arrivées dans quelques minutes. Savez-vous conduire, Janna ?

— Je n'ai pas de permis, mais il m'est parfois arrivé de conduire sous la surveillance de mon père. La circulation est tout à fait différente d'où je viens.

— Je suis sûre que tout vous paraît différent et bien étrange ici.

— Nous vivions très simplement. Je n'avais même jamais vu d'appareil de télévision avant celui de l'hôtel.

Janna s'interrompit. Elle venait de commettre un épouvantable impair. Annabel devait s'imaginer que Luke et elle étaient arrivés en Angleterre dimanche matin. Elle s'empressa de continuer à parler.

— La manière dont les Anglais conduisent m'effraie, j'ai toujours l'impression qu'ils sont du mauvais côté de la route.

Annabel rit sans faire de commentaire. Apparemment, elle n'avait rien remarqué. Elle engagea sa voiture sur une petite route latérale qui longeait de grandes propriétés. Les maisons étaient très espacées, comme dans le quartier de Rio de Oro qu'habitaient Eva et Luis. Il y avait ici la même atmosphère de luxe que là-bas.

C'était une grande maison blanche entourée d'une immense pelouse verte parsemée d'arbres. Annabel rangea sa voiture peu après le portail et elles continuèrent à pied.

— Allons directement dans ma chambre essayer des robes. Ensuite nous déjeunerons avec ma mère.

123

Elle précéda Janna dans un hall monumental, monta au premier étage par un grand escalier à double révolution et l'invita à entrer dans sa chambre, très féminine avec sa moquette crème, ses rideaux de dentelle, et son ameublement délicat. Elle enleva ses sandales et se tourna vers Janna.

— Mettez-vous à l'aise. Je vais nous verser un peu de sherry. C'est un peu tôt, mais pourquoi pas? Ensuite, j'aurai une question plutôt personnelle à vous poser.

Janna la regarda, attérée. Ses pires craintes se réalisaient.

10

Annabel s'approcha d'une table sur laquelle étaient disposés deux verres et une bouteille.

— Fumez-vous ? demanda-t-elle.

— Non, répondit Janna en attendant la question redoutée.

— J'espère que la fumée ne vous dérangera pas.

Annabel tendit un verre à Janna et remplit le sien.

— A votre santé.

— A la vôtre. Bien sûr, fumez, je vous en prie.

— Merci, j'en avais besoin, dit-elle en prenant une cigarette dans un coffret. Asseyez-vous, Janna.

Janna prit une chaise et s'assit près de la fenêtre. L'expression d'Annabel était devenue sérieuse. Il n'était plus question de sourires. Janna but une gorgée de sherry bien frais et se jeta à l'eau.

— Vous m'avez dit avoir une question plutôt personnelle à me poser ?

Annabel se mordit la lèvre. Pour la première fois, elle semblait avoir perdu son assurance. Son beau visage avait pâli.

— Janna, aimez-vous Luke ?

Bien qu'elle s'attendît à cette question, Janna la reçut comme une gifle. Elle n'arrivait pas à retrouver sa respiration. Encore paralysée par l'angoisse, elle leva son regard vers Annabel, silencieuse, qui attendait sa réponse comme un juge. Elle ne voulait ni lui mentir ni la blesser.

— Je l'aime beaucoup, murmura-t-elle, il a été si généreux.

— Oui, je sais, mais l'aimez-vous d'amour ?

Janna tremblait au point qu'elle dut reposer son verre.

— Oui, répondit-elle. Je vous demande pardon, mais je ne peux pas vous mentir.

— Et vous aime-t-il ?

Elle la regarda, soulagée. Elle pouvait répondre à cette question avec la conscience tranquille.

— Non. C'est vous qu'il aime, Annabel. Il vous aime beaucoup et je comprends pourquoi. Il ignore que je l'aime et je vous jure qu'il ne l'apprendra jamais.

Elle réussit à faire un pauvre sourire avant de continuer :

— Il n'attend que mon départ. Je pense même qu'il regrette de m'avoir demandé de venir. Il fait des recherches pour retrouver ma famille et, en attendant, je ne sais où aller. Je vous donne ma parole que je quitterai sa maison aussitôt que possible et je vous demande pardon d'avoir troublé votre quiétude par ma présence.

Janna fit machinalement tinter son verre. Elle ne comprenait pas qu'une femme aussi belle, aussi riche, aussi supérieure pût s'inquiéter de sa présence. Peut-être aimait-elle Luke au point d'en être devenue vulnérable. Si tel était le cas, Janna voulait la rassurer complètement.

— Laissez-moi vous confier encore quelque chose. Vous n'avez absolument rien à craindre de moi. Il ne ressent même pas de l'amitié pour moi.

Elle avait beaucoup de peine à retenir ses larmes. Annabel s'approcha d'elle et lui posa une main sur l'épaule.

— Je suis désolée, Janna. Ne soyez pas bouleversée

126

à ce point, je vous en supplie. Ne pleurez pas, sinon je vais aussi me mettre à pleurer. Je comprends que vous aimiez Luke. C'est un homme merveilleux...

Elle s'éloigna et alla remplir son verre.

— Essayez d'oublier que je vous ai posé cette question.

— C'est pour cela que vous m'avez amenée ici ? Parce que vous aviez besoin de savoir, n'est-ce pas ?

— C'est en partie exact, mais vous êtes aussi venue pour m'emprunter une robe de bal.

— Il serait préférable que je renonce à m'y rendre.

— Non, pas du tout. Si vous n'y allez pas, je n'irai pas non plus, proclama-t-elle en s'asseyant sur son lit. Je vous comprends, Janna. Je sais combien on souffre d'aimer quelqu'un qui ne vous aime pas. Cela fait très mal, mais il est impossible de s'enfuir et de se cacher. Il faut faire contre mauvaise fortune bon cœur.

Janna sourit à cette tirade. Comme il était facile de parler quand l'amour de l'autre ne faisait aucun doute.

— Je sais que vous avez raison. Je tâcherai de ne pas l'oublier.

— Bon. Maintenant, il est grand temps de choisir une robe qui vous plaise. Si toutefois, il ne s'agit pas de celle que je me réserve et que j'ai achetée pour cette occasion !

— Je ne ferais jamais cela ! s'exclama Janna en reposant son verre avec précaution sur la plaque de verre protégeant la fine marqueterie de la table. Vous êtes une personne merveilleuse, Annabel. A votre place, je ne sais pas si j'aurais le cœur suffisamment généreux pour être aussi aimable avec quelqu'un qui vient de proclamer aimer mon fiancé. Je suis heureuse que Luke vous aime. Je n'aurais pas voulu qu'il épousât quelqu'un... différent de vous.

Annabel détourna le regard et alla regarder par la

fenêtre. Elle tournait le dos à Janna et se frottait les bras comme si elle avait froid.

— Mon Dieu! murmura-t-elle d'une voix si basse que Janna comprit qu'elle s'était parlée à elle-même.

Quand Annabel se retourna, elle avait les larmes aux yeux.

— Maintenant, nous sommes deux à pleurer! C'est ridicule, nous faisons une belle paire d'idiotes. Ah! les hommes, quelle source d'ennuis! Je sais que nous ne réussirons pas à oublier cette conversation, mais essayons tout de même.

Elle fit coulisser la porte de sa garde-robe. Janna se leva et vint à côté d'elle. Elle avait trahi son secret et s'était confiée à la dernière personne au monde qu'elle aurait dû choisir. Annabel en parlerait-elle à Luke?

— Quelles belles robes! Combien en possédez-vous?

— Des douzaines. Aidez-moi à les mettre sur le lit.

Elles commencèrent à décrocher les cintres et à étaler la fabuleuse collection des robes d'Annabel.

— Puis-je essayer d'abord celle-là?

C'était une robe de velours bleu nuit, cintrée à la taille, décolletée en V, avec de longues manches étroites et une jupe en corolle. Elle se boutonnait dans le dos.

— Vous avez le coup d'œil juste. C'est la robe de mes vingt ans. Je l'ai toujours beaucoup aimée. Voyons comment elle vous va.

Annabel déplaça un grand miroir pendant que Janna se déshabillait. Ensuite elle l'aida à l'enfiler et commença à boutonner la longue rangée de petits boutons.

— Son seul inconvénient est que l'on a besoin de quelqu'un pour s'habiller et se déshabiller. Aïe! je me suis cassé un ongle. Attendez un moment, ne vous regardez pas encore. Il faut que je trouve ma pince à ongles.

Janna resta immobile pendant qu'Annabel cherchait dans un tiroir. Quand la robe fut enfin boutonnée, Annabel prit la main de Janna en lui demandant de fermer les yeux et la conduisit devant la glace.

— Maintenant vous pouvez regarder.

Janna ne put retenir un petit cri d'admiration qui fit rire Annabel.

— Elle vous va à la perfection, c'est miraculeux. Vous êtes si brune et je suis si blonde... Je suis presque jalouse, elle vous va encore mieux qu'à moi.

Janna tournait lentement sur elle-même comme un mannequin pendant une présentation de mode.

— Arrêtez. Elle est peut-être un peu trop longue.

Elle regarda les sandales de Janna avec une petite moue.

— Il vous faut des chaussures à talons hauts. Quelle est votre pointure ?

— Je ne sais pas, je ne connais pas les mesures anglaises.

Annabel s'accroupit et ouvrit un tiroir à la base de la garde-robe. Elle choisit une paire de chaussures argentées à talons aiguille et les tendit à Janna qui les enfila et se replaça devant le miroir.

— C'est parfait, observa Annabel, on ne pourrait rêver mieux !

Janna avait grandi en un instant de près de dix centimètres.

— Jamais je ne pourrai marcher ! Je suis certaine de tomber, surtout dans les escaliers.

— Il faut s'y habituer. Gardez-les pendant que vous essayez d'autres robes, mais je pense que nous sommes tombées sur la bonne du premier coup.

Et Annabel défit les boutons. Il y en avait bien une douzaine. Janna passa ensuite quelques autres robes. Toutes lui allaient bien, mais les deux jeunes femmes savaient que c'était uniquement pour le plaisir de les essayer.

A sa grande surprise, Janna constata qu'elle s'entendait bien avec Annabel et qu'elle prenait plaisir à sa compagnie, même après leur délicate conversation. Annabel était naturellement chaleureuse et amicale. Janna qui aurait voulu la détester ne pouvait s'empêcher de l'aimer.

— Inutile de continuer, nous perdons notre temps. Rangeons les autres et remettez la première. Ensuite nous irons demander l'avis de ma mère. Si vous voulez bien l'accepter, j'aimerais vous en faire cadeau.

— Je n'oserais pas, dit Janna, les yeux arrondis par l'étonnement.

— Vous plaît-elle, oui ou non ?

— Oui, bien sûr, elle est très belle, mais...

— Elle est à vous. Je sais que je ne la remettrai jamais. Elle ne sert à rien suspendue dans ma garderobe. Vous me feriez grand plaisir en l'acceptant.

Sans penser à ce qu'elle faisait, Janna embrassa Annabel. Celle-ci eut un mouvement de surprise puis se mit à rire et embrassa Janna en retour.

— Janna, vous êtes délicieuse. J'adore votre spontanéité. Je suis triste à l'idée que vous allez partir bientôt. Je suis sûre que nous serions devenues de grandes amies. Promettez-moi de rester en contact avec moi.

— Oui, je le ferai, répondit Janna en se tournant pour cacher son embarras et sa tristesse.

Bien entendu, elle ne resterait pas en relations avec Annabel. Quand elle partirait, elle romprait tous les liens. Elle avait l'impression d'avoir trahi Annabel autant que Luke l'avait lui-même fait. Si jamais Annabel apprenait toute la vérité, elle serait épouvantablement malheureuse. La seule manière d'éviter cela était de s'en aller le plus loin possible et de ne jamais revoir Luke, ce qui signifiait ne jamais revoir Annabel non plus. Comment pourrait-elle, quand ils seraient mariés, les voir séparément ?

— Descendons. Non, attendez. Avez-vous des bijoux ?

— Non, répondit Janna en pensant au crucifix du frère Marcus et à son alliance, dissimulés dans son sac.

— Alors, je vais vous prêter quelque chose. Je possède un pendentif très simple, mais très beau, qui convient admirablement à cette robe. Vous me le rendrez après le bal.

Elle ouvrit un petit coffret de cuir posé sur sa coiffeuse et en sortit une pierre mauve de forme ovale, sertie dans une monture d'or accrochée à une chaînette du même métal qu'elle passa autour du cou de Janna.

— Je ne sais comment vous remercier. Quelle est cette pierre ?

— Une améthyste. Luke me l'a offerte il y a quelques années.

— Mais Luke sera fâché s'il la voit sur moi ! s'exclama Janna, songeant que c'était là un témoignage de son amour pour Annabel.

— Pas du tout. D'ailleurs elle m'appartient et je serais ravie que vous la portiez. Allons montrer tout cela à ma mère. Ensuite nous aurons tout juste le temps de nous changer pour le déjeuner.

Janna la suivit, marchant maladroitement avec ses chaussures à hauts talons. Jamais elle n'avait imaginé en porter un jour.

C'était vendredi soir. Luke était allé chercher Annabel un peu plus tôt, à sa demande. Janna était montée se changer. Elle était en train de se brosser les cheveux quand Annabel vint la rejoindre, vêtue d'une robe rouge vif faisant valoir sa blondeur et sa carnation, et moulant son corps parfait.

— Vous êtes ravissante, Annabel.

— Merci. Je vous ai apporté un sac de la même couleur que vos chaussures. A propos, avez-vous réussi à vous y habituer ?

— Pas encore tout à fait, mais je me débrouille.

— J'en étais sûre. Avez-vous de quoi vous maquiller ?

— J'ai du rouge à lèvres, c'est tout.

— C'est bien ce que je pensais. J'ai pris le nécessaire. Me permettez-vous de vous aider ? Vous n'avez pas besoin de grand-chose, mais je connais quelques astuces que je voudrais vous apprendre.

Janna ne s'attendait pas à cette nouvelle manifestation de gentillesse. Obéissante, elle mit une serviette autour de son cou et s'assit devant la coiffeuse. Annabel ouvrit une trousse de maquillage digne d'une professionnelle qui contenait un riche assortiment de fonds de teint, fards, mascaras, rouges à lèvres, poudres et autres cosmétiques.

Quelques minutes plus tard, Janna avait de la peine à se reconnaître. Annabel lui avait fait un habile maquillage, discret, qui rehaussait sa beauté, mettant notamment en valeur ses beaux yeux.

— Voilà, c'est fait. Vous êtes splendide, Janna.

— Merci beaucoup, mais pourquoi ?

— Pourquoi ? Que voulez-vous dire ?

— Pourquoi vous donnez-vous toute cette peine pour moi ?

— Parce que je n'ai pas de sœur et parce que je vous aime bien. Venez, vous allez voir leurs réactions.

Luke et Marc buvaient un whisky au salon en compagnie de leur mère. Janna, qui n'avait vu ni l'un ni l'autre en habit en eut le souffle coupé. Personne n'aurait pu reconnaître en ce gentleman très élégant l'aventurier hirsute et mal habillé qui avait poussé un soir la porte d'un établissement mal famé de Santa Cruz. Luke se retourna vers elle. Elle crut discerner l'effet d'un choc dans son regard. C'était probablement un tour de son imagination.

— Il me semble que nous allons escorter deux créatures de rêve, déclara Marc avec un grand sourire.

— Vous êtes éblouissantes, l'une et l'autre, s'exclama Clare Hayez-Ross en se levant pour les examiner de plus près. Je donnerais beaucoup pour observer l'expression de Paula de Vere quand vous ferez votre entrée.

— Mère, je ne vous savais pas capable de telles pensées ! s'exclama Marc en riant.

— Tu sais bien que c'est une peste, rétorqua Clare en jetant un coup d'œil à Annabel.

— Je vous ferai un rapport, promit celle-ci.

Luke ne participait pas à la conversation. Janna tourna la tête dans sa direction et leurs regards se rencontrèrent. Il ne saurait jamais combien profondément elle l'aimait, mais il dut lire quelque chose dans ses yeux car il détourna brusquement les siens comme si elle l'avait offensé.

— Il est temps de partir, annonça-t-il sur un ton sans réplique.

— Amusez-vous bien, les enfants. Et ne me réveillez pas en rentrant, s'il vous plaît.

Marc lui posa un baiser sur le front et la rassura.

— Nous n'en ferons rien, c'est promis.

Ils prirent la Mercedes de Marc, les deux hommes à l'avant, les femmes derrière.

Le bal avait lieu dans une grande maison éloignée de quelques kilomètres, à l'opposé de celle d'Annabel. Quand ils arrivèrent, il y avait déjà des dizaines de voitures, ce qui les obligea à finir le chemin à pied, au son de la musique sortant des fenêtres brillamment éclairées du rez-de-chaussée. A l'intérieur, les invités bavardaient et buvaient, par petits groupes. Janna s'était préparée à affronter cette soirée donnée par Eva en l'honneur de Luke et d'elle-même. La différence essentielle était que son cavalier, qui l'avait prise par le bras, était cette fois Marc. Luke et Annabel, qui les avaient précédés, s'étaient perdus dans la foule.

— Ne vous sentez-vous pas dépaysée ? lui demanda Marc.

— Pas du tout, grâce à vous, répondit-elle en lui offrant un grand sourire.

Il ressemblait beaucoup à Luke, tout en étant en même temps très différent. Ils avaient la même voix et les mêmes yeux, mais elle aimait Luke et non Marc. Quoi que Luke s'imagine, elle sentait bien que Marc n'avait aucun faible pour elle. Il était poli et amical. C'était un agréable compagnon, sans plus.

— Vous êtes merveilleusement belle. Entrons faire des jaloux et des jalouses.

Janna fut présentée à une quantité de gens dont elle s'empressa d'oublier les noms. Jamais elle ne fit tapisserie : elle était constamment entourée d'une cour d'admirateurs qui se disputaient l'honneur de danser avec elle. Cela ne l'empêcha pas de remarquer que Luke et Marc étaient très populaires, surtout auprès des femmes. Plus tard dans la soirée, Annabel lui fit un signe et elles s'isolèrent un moment au premier étage.

— Il me semble que vous ne vous ennuyez pas, Janna.

— C'est vrai, vous aviez raison. Mais mes pauvres pieds me font souffrir.

— C'est le prix de notre élégance, ma chère. Avez-vous remarqué cette femme extravagante qui vous fusillait du regard ?

— Celle qui porte cette robe noire outrageusement décolletée ?

— Oui, la fiancée de Dracula. C'est elle, Paula de Vere.

— Je ne lui ai pas été présentée.

— Naturellement. Elle se prend pour la reine de la soirée et elle nous a soigneusement évitées pour des raisons évidentes.

— Est-elle mariée ?

— Pas actuellement. Elle collectionne les maris. Son dernier était le quatrième.

— Elle est escortée par un beau garçon.

— Bertie ? Oui, mais il n'a pas de tête. J'espère pour lui qu'il ne sera pas le numéro cinq, mais je ne prendrais pas de pari. Elle a aussi des vues sur Luke. C'est pourquoi il tâche toujours d'être protégé par la présence d'une de nous. C'est aussi le cas de Marc, ajouta-t-elle en se levant. Allons à leur secours, elle a sûrement profité de notre éloignement pour les accaparer.

En descendant l'escalier, elles s'aperçurent que c'était effectivement le cas. Paula de Vere avait posé une main sur le bras de Luke qui était penché vers elle pour l'écouter. Elle aperçut Annabel et Janna et s'empressa de se noyer dans la foule. Luke se tourna alors vers elles.

— Dieu merci, la cavalerie vient à la rescousse, murmura-t-il, provoquant le rire de Marc.

— On ne peut pas vous laisser seuls une minute, fit observer Annabel d'un ton sévère en regardant les deux frères, l'un après l'autre.

— Paula a fondu sur nous dès qu'elle vous a vues partir. Elle faisait à Luke une cour éhontée. J'en avais honte pour elle, raconta Marc.

Annabel se tourna vers lui.

— Tu aurais pu intervenir.

— Moi ? s'exclama-t-il. J'aurais eu trop peur, je suis trop jeune.

Janna observait Luke qui observait Annabel et Marc plongés dans une conversation animée. Il ne paraissait pas les entendre, comme si cela ne le concernait pas. Elle se demandait ce qu'il pouvait bien penser quand il les interrompit brusquement.

— Je m'ennuie à mourir.

— Tu n'as pas le droit de dire une chose pareille.

Que va-t-on penser si l'on t'entend ? dit Annabel avec gentillesse.

— Je m'en moque. Regardez-les tous. Ils sont vides, artificiels. Ils jouent tous un rôle, les hommes comme les femmes. Ils me dégoûtent.

Marc lança un regard à Annabel qui s'adressa à son fiancé d'une voix douce.

— Tu ne te sens pas bien ?

Il lui fit un sourire forcé.

— Je suis physiquement parfaitement bien, si c'est le sens de ta question.

— Mais tu en as assez, n'est-ce pas ?

— J'en ai eu assez à la minute même où nous sommes arrivés.

Marc considéra Janna, qui resta silencieuse. Elle ne se sentait pas le droit d'intervenir.

— Désires-tu partir, Luke ? demanda-t-il. Dans ce cas je vais te reconduire.

— Si Luke s'en va, nous partirons tous, proclama Annabel.

Le silence retomba sur leur petit groupe. Janna se rendait compte qu'il se passait quelque chose d'anormal, mais ne comprenait pas de quoi il s'agissait. Elle sentait que les trois autres étaient tendus, mais elle était persuadée que ce n'était pas à cause d'elle.

— Je ne veux pas vous priver de votre plaisir, finit-il par dire.

— Ne sois pas ridicule, coupa Annabel. Je vais aller nous excuser auprès de nos hôtes. Je leur dirai que nous devons nous lever tôt ce matin.

Il était déjà près d'une heure. Pour la première fois depuis une éternité, Luke regarda Janna.

— Désirez-vous rester ?

— Pas particulièrement. A vrai dire, je me demandais si je résisterais jusqu'au petit déjeuner puisque l'on m'a dit que ce genre de bal durait toute la nuit.

— Dans ces conditions, c'est décidé, nous partons,

annonça Marc en tendant ses clés à son frère. Installez-vous dans la voiture pendant que je cherche Ronnie avec Annabel. Nous lui expliquerons que nous devons rentrer tous les quatre.

Luke et Janna se glissèrent discrètement hors de la salle de bal. Dans l'obscurité propice de la terrasse, des couples s'embrassaient. Janna s'assit à l'arrière de la Mercedes, Luke devant elle, à la place du passager. Il se retourna et demanda sur un ton agressif :

— Pourquoi ne le dites-vous pas ?

— Que devrais-je dire ?

— Que je suis un misérable trouble-fête.

— Cela vous soulagerait-il ?

— Non, mais je sais que vous le pensez.

— Vous n'avez aucune idée de ce que je pense, mais je désire vous poser une question : pourquoi êtes-vous venu au bal puisque vous aviez décidé d'avance de vous y ennuyer ?

Luke se retourna, s'enfonça dans son siège et ne répondit pas. Janna se pencha vers lui.

— Vous n'avez pas besoin, en plus, d'être impoli.

— Annabel aime ce genre de soirée.

— Et ce serait trop vous demander de faire un effort pour la femme que vous aimez !

— C'est ce que j'ai fait. Cela vous satisfait-il ?

— Non, mais il est évidemment inutile d'essayer de vous parler quand vous êtes de cette humeur. Ne soyez pas inquiet, je ne dirai plus un mot, c'est préférable.

Annabel et Marc arrivèrent à leur tour. Elle s'assit à côté de Janna, il se mit au volant.

— Annabel, venez-vous prendre un dernier verre ou préférez-vous que je vous dépose ?

— Comme on passe devant chez vous, je vous tiendrai compagnie une minute ou deux.

La maison était plongée dans l'obscurité. Luke alluma une des lampes du salon. Les deux femmes s'assirent et retirèrent leurs chaussures.

— Que voulez-vous boire ? questionna Luke.

— Pour moi, une vodka-orange, répondit Annabel.

— Je prendrai la même chose, dit Janna.

— Et toi, Marc ?

— Puisqu'il est encore tôt, je vais rentrer à Londres cette nuit. Je vais me préparer un café.

Et il partit dans la cuisine. Luke apporta leurs verres à Janna et Annabel et se servit un grand whisky sec qu'il avala d'un trait.

— Si tu as l'intention de me raccompagner, peut-être vaudrait-il mieux... commença Annabel.

Luke l'interrompit :

— Je n'ai presque rien bu.

Et il se servit un autre whisky. Janna se rendit compte que l'atmosphère était chargée d'électricité. Ils allaient sûrement se disputer et elle ne tenait pas à être témoin de la scène. Elle but une gorgée et se leva.

— Excusez-moi. Je vais prendre aussi un café. Quelqu'un en désire-t-il ?

Luke et Annabel se regardaient avec une telle intensité qu'ils ne l'avaient pas entendue. Elle alla rejoindre Marc à la cuisine.

— Venez-vous m'aider ?

— Si vous voulez. A vrai dire, j'ai tout d'un coup eu envie de café, moi aussi.

— Ce sera du café soluble. Je ne veux pas moudre l'autre maintenant.

— Excellent.

— Désolé pour Luke. Je ne comprends pas ce qu'il lui a pris. J'espère qu'il n'a pas gâché votre soirée.

— Non, elle a été très agréable grâce à vous, Marc.

— J'ai eu le plus grand plaisir à vous escorter. C'est toujours flatteur d'être en compagnie d'une jolie fille. J'ai surpris quelques regards envieux.

Janna lui sourit et il posa deux tasses fumantes sur un plateau.

— Venez, nous le prendrons au salon avec eux.

La porte du salon était fermée et on n'entendait aucun bruit. Elle ouvrit la porte pour laisser passer Marc avec son plateau. Sa gorge se serra à la pensée que Luke et Annabel étaient peut-être en train de s'embrasser. Mais ce n'était pas le cas. Annabel était toujours assise sur le canapé et Luke était adossé à la cheminée, un verre à moitié vide dans une main, la bouteille de whisky dans l'autre. L'atmosphère était à couper au couteau. Annabel s'adressa à Janna avec une gaîté forcée.

— Encore un bal... J'espère que vous vous êtes bien amusée... Pendant que j'y pense, pourriez-vous me rendre mon pendentif maintenant, je serai ainsi certaine de ne pas l'oublier.

— Je vous remercie de me l'avoir prêté, dit Janna en le lui tendant.

— Je vous en prie, c'était avec plaisir. Je tiens beaucoup à ce bijou. Je reprendrai le sac et la trousse de maquillage à l'occasion.

Elle plaça le pendentif dans son sac, finit son verre et se leva en regardant Luke.

— Il vaudrait mieux que je rentre, je me sens un peu fatiguée.

— Ecoute, intervint Marc, puisque je rentre à Londres, je pourrais te déposer.

Lentement, Luke vida son verre, sous le regard étonné de son frère.

— Très bonne idée, finit-il par dire.

Annabel s'approcha de Luke et lui posa un petit baiser sur la joue.

— Bonsoir, chéri.

Puis elle se tourna vers Janna.

— On pourrait se voir demain. Je vous téléphonerai. Bonne nuit.

Annabel et Marc se retirèrent. Luke était toujours adossé à la cheminée, le visage fermé. Janna ramassa ses chaussures, prit son sac et se tourna vers Luke pour le saluer. Il était en train de se resservir du whisky.

— Ne pensez-vous pas...

Il l'interrompit brutalement.

— Non, je ne pense pas ! Je suis chez moi ici et si j'ai envie de me griser, je le ferai. C'est mon privilège.

Il leva son verre en la fixant d'un air moqueur.

— A votre santé !

Elle sortit sans répondre. Arrivée dans sa chambre, elle s'aperçut qu'Annabel avait eu raison. Malgré tous ses efforts, elle ne put défaire que quelques-uns des boutons de sa robe. Elle s'assit au bord du lit. Comment allait-elle se débrouiller ? Il n'était pas question, à deux heures du matin de réveiller Matty ou la mère de Luke. Quant à celui-ci, pouvait-elle aller le rejoindre au salon comme si de rien n'était, alors qu'il était probablement en train de finir sa bouteille de whisky ? Quelque chose l'avait rendu malheureux et il essayait de noyer son chagrin dans l'alcool. Il s'était certainement disputé avec Annabel ; celle-ci aussi avait eu l'air malheureuse. Sa voix était trop légère et ses yeux trop brillants quand elle était partie.

Janna entendit des pas dans l'escalier et son cœur se mit à battre plus vite. Elle ouvrit la porte de sa chambre et fit signe à Luke, à l'autre bout du corridor, qu'elle n'arrivait pas à déboutonner sa robe. Il s'approcha silencieusement, la repoussa dans la chambre, entra et ferma la porte.

— Tu es rusée, Janna, très rusée !

Le regard de Luke brillait d'une lueur moqueuse. Janna y vit aussi autre chose qui la remplit de crainte.

11

Instinctivement, Janna s'écarta de Luke.

— Comment veux-tu que je t'aide si tu t'éloignes.

— Que voulez-vous dire ? Pourquoi suis-je rusée ?

— Pourquoi ? Tu sais très bien ce que j'entends.

— Pas du tout. Je ne vous aime pas quand...

— C'est bien dommage. Alors, tourne-toi pour que je puisse faire ce que tu m'as demandé.

Luke avait l'air exaspéré. Il y avait même de la haine dans son regard. Soudain elle se souvint de la scène dans la montagne, quand il l'avait poursuivie et violemment frappée. Il donnait l'impression d'être prêt à recommencer.

La chambre de Clare Hayes-Ross était au bout du corridor. Il suffirait à Janna de crier pour l'éveiller, mais elle savait qu'elle n'en ferait rien. Elle ne pouvait pas impliquer dans sa dispute avec Luke cette femme qui lui avait ouvert sa maison avec une telle gentillesse. De plus, elle ne comprenait pas la raison de sa fureur. Il restait immobile, les poings serrés, comme quelqu'un s'apprêtant à se battre. Tremblant intérieurement, elle était incapable de faire un geste.

— Cela n'a pas d'importance. S'il vous plaît, allez-vous-en, murmura-t-elle.

— Certainement pas avant d'avoir terminé ce que tu m'as suggéré.

« Mon Dieu », pensa-t-elle, « il s'imagine que »…
Depuis sa rencontre avec Annabel, elle avait scrupuleusement chassé de son esprit toute pensée de cet ordre. Elle avait réussi à oublier, enfin presque…

— Je ne veux pas que vous me touchiez. Partez.

Il s'avança vers elle, menaçant. Elle recula jusqu'au fond de la chambre.

— Alors pourquoi m'avez-vous appelé ?

Janna avait les yeux arrondis par la peur. Son cœur battait à grand coups.

— Pas pour ce que vous pensez.

— Qu'est-ce que je pense, Janna, dis-le moi ?

Elle secoua la tête et d'un mouvement vif qui la prit au dépourvu, il l'agrippa par les bras, les serrant de ses doigts d'acier.

— Luke, je vous en supplie, vous me faites mal. Lâchez-moi.

— Pas avant d'avoir entendu la réponse à ma question. Vous désirez que je reste avec vous, n'est-ce pas ? Comme à Rio de Oro, comme à Londres.

— Non, vous vous trompez !

— Pourtant ce fut le cas, avant.

— Avant, oui. Mais maintenant, non. Plus jamais.

— Janna, je te désire au point que j'en deviens fou.

— Comment pouvez-vous dire une chose pareille puisque vous aimez Annabel ? Vous ne savez pas ce que vous dites.

— Je le sais parfaitement bien, trop bien même.

Janna sentait sa tête tourner. Il la prit dans ses bras et déboutonna rageusement sa robe. Avec le peu de force qui lui restait, elle tenta de se dégager.

— Enlève-la.

— Non ! cria-t-elle en plaquant de ses deux mains la robe contre son corps.

— Enlève-la, sinon je l'arrache.

Le regard de Luke était implacable. Elle retira la

robe et resta debout, vêtue de la longue combinaison que lui avait prêtée Annabel.

— Etes-vous satisfait ?

— Pas encore.

Et il se précipita sur elle, l'enlaçant sauvagement et écrasant avec fureur ses lèvres des siennes. Il l'avait assaillie avec une telle violence que Janna sut qu'elle allait s'évanouir. Ses jambes se dérobèrent sous elle et tout devint noir.

Quand elle reprit conscience, elle était étendue sur son lit. Luke était assis à côté d'elle et lui tapotait les mains. Son visage était blafard.

— Oh ! Luke, dit-elle d'une voix désespérée, toute peur évanouie.

— Pardonne-moi, Janna, je t'en supplie.

— Ce n'est rien. je m'en veux de vous avoir mis en colère, mais honnêtement, je ne vous avais pas appelé pour cela.

— Je sais. Maintenant je sais, murmura-t-il en posant doucement sa tête sur la poitrine de Janna.

Elle sentait qu'il souffrait profondément. Elle était maintenant la plus forte. Il s'était disputé avec Annabel et le malheur avait voulu qu'elle se soit trouvée sur son chemin. Il avait trop bu, elle n'aurait jamais dû l'appeler. Elle se mit à lui caresser doucement les cheveux pour lui montrer qu'elle comprenait et qu'elle ne lui en voulait plus.

— C'est fini, murmura-t-elle, j'ai tout compris.

— Sûrement pas, répondit-il dans un souffle.

— Allez vous coucher. Il est tard. Vous vous sentirez mieux après une nuit de sommeil.

— Le crois-tu vraiment, mon pauvre amour ?

— J'en suis certaine, vous verrez.

Il se pencha sur elle et l'embrassa doucement sur la bouche. Elle crut qu'il voulait ainsi lui demander pardon et elle répondit à son baiser. Il y eut un moment de douceur et de tendresse incomparable. Quel contraste avec sa rage, quelques minutes auparavant, quel contraste...

Alors il la prit dans ses bras et son baiser se fit plus insistant. Janna ne put s'empêcher d'y répondre avec ardeur. Son sang coulait plus vite dans ses veines... Les mains caressantes de Luke mettait son corps en émoi et elle ne pouvait plus dissimuler l'amour qu'elle ressentait pour lui.

— Luke, Luke, murmura-t-elle dans un souffle alors qu'il étendait le bras pour éteindre la lampe de chevet.

Il se leva, et elle entendit qu'il se déshabillait.

— Non, Luke, il ne faut pas, c'est...

Il la fit taire par un nouveau baiser brûlant. Vaincue, Janna s'abandonna doucement et bientôt, ils se laissèrent emporter par l'extase. Longtemps après, la fatigue eut finalement raison de leur désir plusieurs fois renouvelé. Ils s'endormirent. Tout était devenu silencieux.

Quand Janna s'éveilla une première fois, il faisait encore nuit. Elle se retourna et replongea aussitôt dans un sommeil sans rêves. Ce fut le soleil qui la réveilla. Il était près de onze heures. La mémoire de ce qui s'était passé lui revint soudain, et elle fut accablée de remords. Jamais elle ne pourrait faire face à Annabel sans trahir sa honte. Elle se cacha le visage dans l'oreiller et éclata en sanglots. Elle aurait voulu mourir, pour disparaître de la vie de Luke. Elle ne lui en voulait pas. Tout était de sa faute. Si elle ne lui avait pas témoigné de la tendresse quand elle l'avait vu si malheureux, si elle n'avait pas répondu à son baiser, il ne serait rien arrivé. Mais elle l'avait fait...

Il n'était pas question qu'elle restât un jour de plus dans cette maison. Elle savait qu'ayant rompu sa promesse une fois, elle recommencerait. Elle n'était plus en sécurité et le danger résidait en elle-même. Elle se leva et ouvrit un tiroir pour y prendre des sous-vêtements propres. Son regard tomba sur son vieux pantalon, celui qu'elle portait le jour fatal où elle avait rencontré Luke. Et elle pensa à la mission, au frère Marcus...

Tremblante d'excitation, elle prit le pantalon. Comment pouvait-elle avoir oublié une chose aussi importante ? Là était le salut. Elle en retira la feuille de papier sur laquelle le frère Marcus avait noté l'adresse de ses amis. Il lui avait fait promettre de se mettre en relation avec eux, et elle avait complètement renié sa promesse !

A trois heures de l'après-midi, elle se trouvait dans un taxi qui l'emmenait de chez les Hayes-Ross. Jamais elle ne reviendrait dans cette maison. Une page était définitivement tournée. Elle se remémorait sa conversation avec Matty, moins d'une heure auparavant. Elles déjeunaient toutes les deux dans la cuisine. Luke et sa mère étaient sortis. Matty l'avait regardée avec inquiétude à plusieurs reprises et s'était finalement décidée à l'interroger.

— Raconte-moi ce qui ne va pas, mon enfant, demanda Matty d'une voix très douce.

Alors Janna vida son cœur, sentant qu'elle pouvait se confier à la vieille femme. Elle lui dit qu'elle était tombée amoureuse de Luke et qu'elle partait à cause d'Annabel.

— Mais où pourrais-tu aller, ma pauvre petite ?

— J'ai une adresse qui m'a été donnée par quelqu'un, un ami. Je crois que ce n'est pas loin d'ici. Auriez-vous une carte ?

— Il doit y en avoir une dans le bureau de Luke. Je vais aller la chercher.

Pendant ce temps, Janna mémorisa le nom du village des amis du frère Marcus et quand Matty revint, elle consulta la carte et le trouva. Elle la referma vite, avant que Matty ait eu le temps d'observer quelle page elle avait regardée.

— Combien devrait coûter un taxi pour une vingtaine de kilomètres?

— Je n'en prends jamais. Quelques livres, je suppose.

Quand elle avait changé à l'aéroport de Londres son argent paragonien, on lui avait remis quinze livres. Cela devrait suffire.

— Ne partez pas tout de suite, suggéra Matty, il vaudrait mieux encore réfléchir.

— Je dois partir. C'est préférable pour tout le monde. Je vais laisser un mot pour Luke et, bien entendu, pour sa mère.

— Janna, dites-moi où vous irez.

Elle refusa gentiment, mais fermement de donner son adresse.

— Je vous promets de vous téléphoner. Luke trouvera peut-être des traces de ma famille, mais je ne veux pas qu'il sache où me trouver.

— Il va mourir d'inquiétude. Il vous a amenée de si loin.

— Je sais, je lui en suis très reconnaissante, et j'ai l'intention de lui rembourser ses dépenses le plus vite possible. Mais je ne peux pas rester davantage ici, je suis sûre que vous comprenez, Matty.

— Oui, je suis d'accord. Luke est si différent depuis que vous êtes revenus tous les deux. Et tu sais que j'aime beaucoup Annabel.

— Moi aussi. Elle a été tellement bonne avec moi. C'est aussi pourquoi je dois absolument partir.

Elle se leva et embrassa la vieille Matty.

— Mes bagages sont prêts. Donnez-moi deux feuilles de papier et soyez assez aimable pour m'appeler un taxi.

Janna avait l'esprit clair. Les amis du frère Marcus habitaient un petit village, Frenby, non loin d'une ville de moyenne importance qu'elle avait repérée sur la carte. Elle demanda au chauffeur de la déposer au centre de la ville. Ainsi, au cas où Luke chercherait à se renseigner auprès de la compagnie des taxis, il ne pourrait pas recueillir de renseignement utile. Mais il était douteux qu'il le fît : quand il constaterait sa disparition, il éprouverait probablement un immense soulagement.

Elle n'avait emporté que sa vieille valise, ayant laissé dans sa chambre tous les vêtements que Luke lui avait offerts ainsi que la robe, cadeau d'Annabel. Tout ce qui lui restait de Luke était son alliance, suspendue à un lacet de cuir, à côté du crucifix du frère Marcus, passé à son cou. Elle ne ressentait aucune amertume en raison des circonstances qui l'avaient obligée à partir, seulement de la tristesse. Elle aimait Luke si profondément qu'elle ne voulait que son bonheur. Si elle était restée, il n'aurait jamais pu être heureux.

Janna paya le chauffeur et s'enferma dans une cabine téléphonique pour appeler le révérend James Miller. Un quart d'heure plus tard, elle prenait un autobus pour Frenby. Une femme aux cheveux gris, plutôt boulotte, l'attendait au portail du presbytère, souriante.

— Vous êtes Janna.

— Oui, c'est bien moi. Je vous suis très reconnaissante d'avoir accepté de m'accueillir, madame Miller.

— Ma chère enfant, nous avons reçu la semaine dernière une lettre du frère Marcus nous racontant tout sur vous et nous demandant de vos nouvelles. Nous ne savions que lui répondre. Entrez, nous allons prendre une tasse de thé en attendant le révérend. S'il avait été là, il serait allé vous chercher en ville avec sa voiture.

Elles traversèrent un jardin fleuri, entrèrent dans une ravissante maison de briques rouges et s'installèrent dans la cuisine.

— Racontez-moi pourquoi vous venez vous réfugier chez nous. Vous avez l'air d'avoir besoin d'aide et vous êtes la bienvenue. Vous pourrez rester ici aussi long-temps que vous voudrez. Ma fille est mariée et mon fils est à l'université. La maison est maintenant trop grande pour nous seuls.

Janna lui expliqua les circonstances aussi brièvement que possible, s'efforçant de ne pas se montrer déloyale envers Luke.

— Vous avez bien fait de venir chez nous, ma chère. Marcus est un vieil ami de mon mari, même s'ils n'ont pas la même religion.

— Je ne sais pas comment vous remercier. Croyez-vous que je pourrais trouver du travail ?

— Nous verrons. Mon mari a un ami avocat qui vient de perdre sa secrétaire. Savez-vous taper à la machine ?

— Non, mais je pourrais apprendre.

— Buvez votre thé et je vais vous conduire à votre chambre. Le révérend sera heureux de votre venue, il ne savait que répondre à Marcus.

Les quelques jours suivants passèrent rapidement. Janna s'occupa de la grande maison, qui en avait besoin, et cela l'empêcha de se morfondre dans ses pensées. Elle avait résisté à la tentation de téléphoner à Matty, mais un jour où elle était seule, elle se décida à le faire.

— Allô !

C'était la voix de Matty.

— C'est moi, Janna.

— Enfin, je suis soulagée. D'où m'appelles-tu ? Luke a été tellement...

Il y eut un silence, puis Janna entendit la voix de Luke.

— Janna, au nom du ciel, dites-moi où vous êtes !

Prise de panique, tremblant de tous ses membres, Janna raccrocha brusquement. Elle se laissa tomber dans un fauteuil. Son cœur battait à tout rompre. Jamais elle n'aurait dû téléphoner. Elle se prit la tête dans les mains, essayant de retrouver son calme. Après un long moment, elle entendit des pas. C'était Mme Miller.

— Que vous est-il arrivé ? Vous êtes pâle comme un linge.

— J'ai téléphoné, comme vous m'aviez permis de le faire et c'est lui qui a répondu. Il paraissait furieux et j'ai raccroché sans rien dire.

— Vous devriez leur faire savoir que vous avez trouvé un refuge. Désirez-vous que je les appelle ?

— Non, merci beaucoup. Cela va déjà mieux.

— Etes-vous sûre, ma pauvre enfant ? Venez dans la cuisine, je vais vous préparer du thé.

Pour Mme Miller, une tasse de thé était toujours la panacée.

— Dites-moi, Janna, vous n'avez pas l'air bien. Vous donne-t-on assez à manger ? Nous, les vieux, nous contentons de peu. Est-ce suffisant, répondez-moi franchement.

— Oui, vous êtes une merveilleuse cuisinière, mais je n'ai plus d'appétit.

— Janna, ne seriez-vous pas...

Janna la regarda, horrifiée, comprenant ce qui lui arrivait.

— Mon Dieu, est-ce possible ? demanda Mme Miller.

— Oui, je le crains.

— C'est bien ce que je pensais. Je le remarque toujours, avant même que les médecins ne s'en aperçoivent. Ma chère enfant, ne soyez pas désespérée. Comme je vous l'ai promis, nous nous occuperons de vous. Est-il marié ?

— Non, répondit Janna en se tordant les mains. Il est seulement fiancé, mais il ne doit rien apprendre.

— Il le faut pourtant.

— A aucun prix. C'est pour sortir de sa vie que je suis partie.

— Mais il a une responsabilité envers vous, Janna, que cela lui plaise ou non.

— Non, tout a été de ma faute autant que de la sienne.

— Il n'est pas question de faute. C'est de la vie d'un enfant qu'il s'agit. Vous avez besoin d'aide.

Janna restait silencieuse, désespérée. Mme Miller ne connaissait ni le nom ni l'adresse de Luke, mais elle allait certainement insister pour les apprendre.

— Laissez-moi réfléchir. Je ne veux pas être une charge pour vous.

— Nous vous aiderons, n'ayez crainte. Mais il doit faire face à ses responsabilités. Et comment savez-vous qu'il ne vous aime pas ?

— Il en aime une autre et il me hait, je l'ai bien senti.

— Je ne vous crois pas. Nous en reparlerons plus tard. En attendant, vous m'aidez et vous faites merveille. Je ne sais pas comment je me débrouillais avant votre arrivée.

Elle posa devant Janna la traditionnelle tasse de thé.

Un peu plus tard, Janna alla faire un tour au village. A son retour, elle fit quelques pas dans le jardin de l'église où elle finit par entrer. Le lieu saint, vide, était parfaitement silencieux. Elle s'assit sur un banc et songea à son père, à sa mère, qu'elle n'avait pas connue et à son enfance. Elle se demanda si elle retrouverait un jour des traces de sa famille, ou plutôt si Luke réussirait à le faire. Il faudrait bien qu'elle l'appelle pour avoir des nouvelles, mais elle ne lui dirait rien de son état. Ainsi il pourrait annuler leur mariage sans avoir à mentir. En revanche, elle aurait de la difficulté à convaincre Mme Miller de ne pas intervenir comme elle croyait devoir le faire. Après la naissance de l'enfant, il faudrait absolument qu'elle trouve du travail, comme nourrice peut-être. Elle allait avoir un enfant de Luke. Garçon ou fille, elle l'aimerait de tout son cœur, comme le souvenir le plus précieux de l'homme qu'elle aimait tant.

— Janna.

Elle pensait tellement à Luke qu'elle avait cru entendre sa voix. Mais le bruit des pas était bien réel. Un instant plus tard, il s'asseyait à côté d'elle.

— Pourquoi t'es-tu enfuie ?

— C'est elle qui a téléphoné !

— Qui, Mme Miller ? Non. Je te cherche depuis que tu es partie. J'ai téléphoné à la compagnie de taxis, mais j'ai seulement pu apprendre le nom de la ville où tu étais. Alors je me suis souvenu que le frère Marcus t'avait donné l'adresse de ses amis. J'ai appelé Luis à Rio de Oro en lui demandant de prendre contact avec la mission. Il m'a téléphoné il y a deux heures, et je suis venu immédiatement au presbytère. Je t'y attendais en bavardant avec le révérend et sa femme.

— Il ne fallait pas venir. J'ai tout expliqué dans le mot que je vous ai laissé.

— Non, pas tout. Tu ne m'as pas écrit que tu m'aimais. C'est par Matty que je l'ai appris.

— Elle m'avait pourtant promis...

— Je l'ai forcée à parler.

— Alors vous savez aussi pourquoi je suis partie. Je ne veux que votre bonheur, murmura-t-elle en se tournant vers lui, les yeux pleins de larmes. Je sentais bien que vous étiez malheureux.

— Ma pauvre chérie, tu ne devines donc pas pourquoi ?

— Vous aimez Annabel et je ne voulais plus risquer de la trahir.

— Janna, c'est toi que j'aime. Il n'y a que toi dans mon cœur.

— ... Comment pouvez-vous dire cela ?

Il lui prit le visage entre ses mains.

— Simplement parce que c'est la vérité et que je ne connais pas d'autre moyen de l'exprimer. Je t'aime depuis le début, mais j'ai combattu ce sentiment parce que tu es si jeune... Mon Dieu, ne comprends-tu pas que je donnerais ma vie pour toi?

Il s'écarta d'elle avant de continuer sa confession.

— Je suis allé voir Annabel dimanche pour lui avouer que je ne pouvais plus vivre dans le mensonge. J'étais décidé à te retrouver, mais il fallait d'abord que je m'explique avec elle.

— Oh! Luke.

Elle s'appuya contre lui, incapable de prononcer un mot de plus.

— Attends, Janna. Tu ne sais pas encore tout. Nous avons parlé franchement et elle m'a appris quelque chose que j'étais trop aveugle pour remarquer moi-même. Elle est amoureuse de Marc et l'a probablement toujours été. Et lui l'aime aussi. C'est pourquoi quand ils t'ont vue...

Il s'interrompit. Un immense espoir réchauffait le cœur de Janna.

— Marc et Annabel? mais alors...

— Ils ne voulaient pas me faire de mal, comprends-tu? Quand je lui ai dit... quand elle a appris que je t'aimais, elle m'est tombée dans les bras, riant et pleurant tout à la fois. Moi, j'étais persuadé que je t'avais perdue. Quand le téléphone a sonné ce matin, j'ai arraché l'appareil à Matty. J'attendais un appel de Luis et ce fut toi, mais tu as raccroché. J'étais tout à fait désespéré. Janna, j'ai tellement de choses à te dire.

Elle l'attira à elle, le cœur débordant d'amour. Elle avait aussi mille choses à lui dire, mais maintenant, cela pouvait attendre.

— Luke, tu ne sais pas combien je t'aime.

— Mon pauvre amour, tu as dû être terriblement malheureuse durant toute cette semaine chez moi. Et au bal, vendredi, quand tu dansais avec ce jeune homme...

— Qui ? je ne vois pas.

— Damien, je crois.

— Ah ! celui-là. Je l'avais complètement oublié.

— Moi pas. Quand je vous ai vus ensemble, je suis devenu jaloux comme un tigre. Je me haïssais et je te haïssais en même temps.

— Luke chéri... Je ne l'ai même pas regardé. Comment aurais-je pu puisque tu étais là. Seulement il y avait Annabel et je croyais...

— Quel gâchis j'ai failli provoquer ! Maintenant tu sais que je suis un sacré...

Il regarda autour de lui.

— Je te demande pardon, j'avais oublié où nous sommes. Je ne peux pas jurer ici, sortons !

— Parce que tu as l'intention de continuer à jurer ?

— Non, mais la décence m'interdit de te dire ici comme je le voudrais, l'ampleur de mon amour.

Quand ils furent sortis, il la prit tendrement dans ses bras.

— Je t'aime du plus profond de mon cœur, Janna. Désormais, je ne cesserai jamais de t'aimer.

— Tu occupes mon cœur tout entier, Luke. Il n'y a jamais eu que toi et il n'y aura jamais personne d'autre.

Elle se pelotonna dans ses bras.

— J'ai d'autres nouvelles Janna. Ta mère avait une sœur qui vit maintenant en Australie. Mon autre frère, Bob, s'occupe de la retrouver. Quand ce sera fait, nous irons ensemble faire sa connaissance. Ensemble parce que je ne te laisserai plus jamais t'éloigner de moi !

— As-tu trouvé quelque chose concernant mon père ?

— Pas grand-chose. Mais je sais pourquoi il s'est exilé. Il faut que je te le dise. Deux ans avant ta naissance, il a eu un accident d'automobile. Quelqu'un a été tué et il s'est senti responsable car il tenait le volant.

— J'avais senti que quelque chose assombrissait son passé...

— Mais mon amour, il a sauvé des centaines de gens au cours des années qui ont suivi. C'était un homme très bon, tu ne dois pas l'oublier. Nous aurons davantage de détails, j'ai des gens qui s'en occupent. Tu auras bientôt une famille bien à toi.

— A ce propos, j'ai aussi quelque chose à t'apprendre. On ne peut pas annuler notre mariage.

— Je n'en ai nulle intention, petite idiote chérie !

— Tu ne comprends pas. Même si nous le voulions, nous ne pourrions plus. Plus maintenant. J'essaie de te dire quelque chose de très simple, mais je n'y arrive pas.

— Tu veux dire que... que c'est arrivé ?

— Oui, papa ! confirma-t-elle avec un petit rire nerveux. Tu devrais voir la tête que tu fais.

En effet, le visage de Luke était devenu tout à fait sérieux. Il regarda Janna avec appréhension et lui prit les mains.

— Comment te sens-tu, mon amour chéri ?

— Le mieux possible. Tu n'es pas fâché, au moins ? Dis-moi que cela t'est égal.

Il éclata d'un grand rire sonore qui résonna longtemps dans les voûtes.

— Egal ? Pas du tout. Je suis transporté de joie. Jamais je n'ai été plus heureux.

Il l'embrassa tendrement.

— Viens ! Rentrons à la maison où est ta place, avec moi, et pour toujours.

Et il l'embrassa de nouveau.

Le printemps est à la porte!

...et Harlequin carillonne

Joyeuses pâques

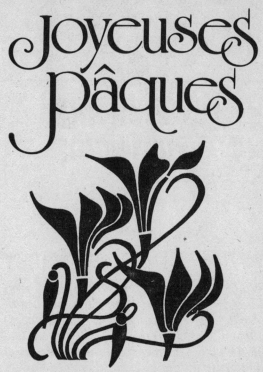

Profitez-en—redonnez bonne mine à votre bibliothèque dès aujourd'hui!

Avec 6 nouvelles parutions chaque mois
dans Collection Harlequin, Harlequin Romantique.
4 nouvelles parutions dans Collection Colombine.
2 nouvelles parutions dans Harlequin Séduction.

Les Prénoms Harlequin

JANNA

fête : 30 mai   couleur : jaune

Voilà un prénom fort courant qui n'en caractérise pas moins un être tout à fait exceptionnel ! La solidité du genêt, son végétal totem, s'allie chez celle qui le porte à une soif de vivre, à une spontanéité fraîche et contagieuse qui lui gagnent d'emblée l'affection de son entourage. Intrépide et peu impressionnable, elle n'hésite pas à se dévouer pour une cause juste... mais est-il nécessaire de décrire davantage celle dont Jeanne d'Arc fut le prototype ?

En dépit des embûches qui les guettent, pas un seul instant Janna Thorne ne songe à abandonner son généreux protecteur...

Les Prénoms Harlequin

LUCAS (Luke)

fête : 18 octobre   couleur : orangé

Fervent migrateur à l'instar du thon, son animal totem, celui qui porte ce prénom se distingue par son goût de l'aventure et du changement. « Toujours en avant »... telle pourrait être sa devise. Franc et direct, il est doté d'un sens aigu de l'honneur, et il n'est pire crime à ses yeux que de faillir à la parole donnée ! Bref, c'est un être attachant et plein de charme, même si, par moments, il se montre un peu... remuant.

C'est bien malgré lui que Luke Hayes-Ross lie son sort à celui de son curieux petit compagnon de route...

Collection ◆ Harlequin

Commandez les titres que vous n'avez pas eu l'occasion de lire...

Dans chaque roman HARLEQUIN, une belle histoire d'amour...

Confiez-nous le soin de votre évasion!
Postez-nous vite ce coupon-réponse.

Collection Harlequin

Stratford (Ontario) N5A 6W2

OUI, veuillez m'envoyer les volumes de la COLLECTION HARLEQUIN que j'ai cochés ci-dessous. Je joins un chèque ou mandat-poste de $1.75 par volume commandé, plus 75¢ de port et de manutention pour *l'ensemble* de ma commande.

☐ 74 ☐ 78 ☐ 82 ☐ 86 ☐ 90 ☐ 94 ☐ 98
☐ 75 ☐ 79 ☐ 83 ☐ 87 ☐ 91 ☐ 95 ☐ 99
☐ 76 ☐ 80 ☐ 84 ☐ 88 ☐ 92 ☐ 96 ☐ 100
☐ 77 ☐ 81 ☐ 85 ☐ 89 ☐ 93 ☐ 97 ☐ 101

Nombre de volumes, a $1 75 chacun: $ _____

Frais de port et de manutention: $ _____ .75

Total: $ _____

Envoyer un chèque ou un mandat-poste pour le TOTAL ci-dessus. Tout envoi en espèces est vivement déconseillé, et nous déclinons toute responsabilité en cas de perte ou de vol.

NOM _____
(EN MAJUSCULES. S V P)
ADRESSE _____ APP _____

VILLE _____ PROVINCE _____

CODE POSTAL _____

Nos prix peuvent être modifiés sans préavis.
Offre valable jusqu'au 30 sept. 1983.

3095600000

NOUVEAU!

Pour fêter le retour du printemps, la collection Harlequin Romantique se pare d'une nouvelle couverture . . . plus belle, plus tendre, plus romantique!

Dès les prochaines parutions!

Ne manquez pas les six nouveaux titres de la collection Harlequin Romantique!